はじめに

世の中には「本物」と「ニセモノ」があります。私たちはつい、本物は「良いもの」でニセモノは「悪いもの」と思いがちです。確かに、本物のダイヤモンドは貴重で高価で最高に硬くて高い屈折率を誇ります。一方、ニセモノの人工ダイヤは硬度も屈折率も本物に劣り、価格も比べようもないほど安いですが、各種工業用ダイヤとして欠かせません。歯を失った人はブリッジなどの部分入れ歯を使っています。入れ歯は義歯であり、疑いようもなくニセモノの歯です。しかし、それを不自由と思っている人は少ないのではないでしょうか?

私たちはプラスチックに囲まれて生活しています。プラスチックは「合成樹脂」といわれ天然の樹脂を人工的に真似て作ったものです。いわば天然樹脂のニセモノです。しかプラスチックの優れた性質、機能は天然樹脂を遥かに凌駕します。今や、私たちにはスチックなしの生活は考えられません。

現代はニセモノの助けなしには成り立たなくなっているのです。毎日のように私助けてくれるニセモノを見直して、ニセモノに感謝するのも、たまにはよいのではしょうか?

2024年4月

齋藤勝裕

CONTENTS

Chapter 1

なぜ、人はニセモノを作るのか？

CONTENTS

Chapter 2

改質食品

Chapter 3

人工人体パーツ

Chapter 4

あらゆる素材の代替品プラスチック

CONTENTS

Chapter 6

貴金属の代替品

Chapter. 1
なぜ、人はニセモノを作るのか？

本物とニセモノ

私たちの生活する世界ではいろいろな意味で本物とニセモノが共存しています。本当は本物だけで生活する方がよいのかもしれませんが、そうとばかりもいかない事情もあります。私たちが暗黙のうちに了解しているのは、本物は真・善・美を兼ね備え、それに対してニセモノは、どこかに足りない点があるということです。

本物は常にニセモノより優れている？

本物の花とニセモノの花を比べれば本物の花

●本物のような美しい造花の花束

の方が真の美しさを持っており、本物の食品とニセモノの食品を比べれば本物の食品の方が美味しく、栄養に富んでいると考えます。本物とニセモノの美味しさの違いを見極め、本物の方をより美味しいと思うのが鍛えられ、磨かれた味覚であると思います。はたして本当でしょうか？　どのような場合にでも、本物の食品はニセモノの食品より美味しく、栄養に富んでいるのでしょうか？

花壇から摘んできた草花は確かに美しいです。しかし、マイセンの陶器の人形が持つ草花も負けずに美しいです。本物の草花は陶器の草花より常に美しいといえるでしょうか？　この場合には、理由はハッキリしています。本物の草花も、陶器の草花も両方とも本物なのです。ここには本物、ニセモノという違いは存在しないのです。

「優劣」と「違い」

それではカニとカニカマの違いは何でしょう？　私は本物のカニの方が美味しいと思います。しかし、カニカマの方が美味しいと思う方がいることを否定はしません。何を美味しいと思うかは人それぞれであり、その味覚は少なくとも、その人にとっては正しい味覚なのです。本物のカニをより美味しいと思う味覚が正しい味覚である、などと思ったらとんでもない思い違いです。味覚に正しいも誤りもありません。本物のカニ味とカニカマの味の間にあるのは「違い」であって、「優劣」ではないのです。

これが端的に出るのが芸術の分野です。美術では「真作」と「写し」があることがあります。もちろん真作が本物で写しはニセモノです。ルネッサンスの巨匠ボッティチェリの「ダンス」という数人の天使が輪になって踊っている絵がありますが、これを近代の巨匠マチスが模写しています。明らかに本物とニセモノですが、どちらが美しいと思うかは人それぞれです。

日本にも平安時代に描かれた「黄不動」という絵が2枚あり、一枚は真作、もう一枚は模倣です。しかし、両方とも「国宝」に指定されています。国宝に優劣をつけるほどの審美眼をお持ちの方は多くはないでしょう。

●黄不動の模写像（国宝）

SECTION 02

高価な本物

一般に、本物とニセモノの間に存在すると考えられている違いの1つは価格です。本物は高価であり、ニセモノは安価だというのです。そのため、高価な本物を手にすることのできない人は安価なニセモノで我慢するという仕組みです。

高価な物は高くて美しく、かつ美味しい

最近のタラバガニの値段は高価です。タラバガニの魅力の1つはその大きさですが、これだけ高いと大きな口を開けて食べることもままならなくなります。松茸だってそうです。京都産の松茸など一般人の口にするものではなくなった感があります。お金持ちでなければ味わえない味覚になってしまったようです。

本物とニセモノの価格の差が極限までいったのが一点物と呼ばれる美術工芸品とそ

のレプリカでしょう。芸術品と呼ばれるようになった本物の値段は、例えば、ダビンチのモナ・リザは何百億と天井知らずです。これのニセモノといってはおこがましいですが、写真印刷あるいは美術工芸印刷と呼ばれるものは数千円にすぎません。

工芸品のバイオリンも同様です。イタリアのクレモナで300年前に作られたというストラディヴァリウスのバイオリンは1台数億円では買えません。現代の市販バイオリンの多くはこのバイオリンのコピーですが、価格は雲泥の差であり、1台数百万円、中国製の練習用に至っては1台数万円で手にできます。ところがその音色の違いときたら耳の肥えたセミプロでも聞き違えるほどのものでしかないことがあります。

価格は優劣を反映するか

日本の浮世絵もそのようなものの1つです。浮世絵は絵師が描いた原画を彫り師が板に彫り、摺師がその板に塗料を塗って紙に印刷したものです。江戸時代に大量に刷られた浮世絵の多くは包み紙として消費され、何枚かは外国人の手に渡って欧米の美術館に収まりました。縁あって里帰りした浮世絵は1枚何十、何百万円で取引されます。人気のある浮世絵は現代でも彫り直され、刷り直されて復刻浮世絵として市販されていますが、扱いは所詮ニセモノです。1枚数千円、よくて数万円にすぎません。

オリジナルの浮世絵とレプリカの浮世絵の間にある違いは多くの場合、美醜の違いではありません。希少性の違いです。「レプリカには売って儲けようとの浅ましい心根が潜んでおり、それが絵に影を落とす」という人がいるかもしれませんが、売って儲けようとしたのはオリジナルだって同じです。当時の版元は現代の出版社より、よほど儲け主義だったのではないでしょうか?

つまり、一般にニセモノより本物の方が高価なことはよくありますが、決して高価な方が高品質とは限りません。安価なニセモノの方が高品質、すなわちより美しくより美味しいことはいくらでもあるのです。

本物希求の意味

本物とニセモノを比べた場合、本物の方が常に高品質とは限りません。ところが、私たちの心の中にはどうも、「本物は高品質、ニセモノは低品質」という思い込みが刷り込まれているようです。その証拠に、本物とニセモノ、どちらでも好きな方をあげると言われたときに、多くの人は本物を選ぶのではないでしょうか？　なぜ、人は本物を欲しがるのでしょうか？

虚栄心の満足

その理由の1つは本物をもっているという、虚栄心に似た満足感によるものでしょう。品質が同じだったらどちらを持っていても違いはないようなものですが、それでも本物を持っていたいというのは、本物には本物という付加価値があるということを意味します。本物は美術工芸の場合は、ただ1個であり、多くの場合もニセモノよりは数が少なくなっています。「存在数が少ないということに価値がある」ということ自体は、本来は意味のないことなのですが、多くの場合、なんらかの意味を持つようです。そして人は少ない方を選ぶようです。

この選択を成立させる要因は心理的なもの以外にありません。そしてそれは虚栄心でしょう。世の中にただ1つしかないものを持つ、それは絶対に他人が真似することのできないことです。その点において、その人は絶対的な優位性を確保したことになります。私たちが本物に価値を置く理由の多くはこのような虚栄心なのではないでしょうか?

希少価値

もう1つ理由があるとしたらそれは希少価値でしょう。多くの場合、本物は1個とは限らなくても存在数は少数です。それに対してニセモノは多くの場合、たくさんあるばかりでなく、足りなくなったらまた増産できます。場合によっては際限なく無数に増産できます。

これではニセモノに希少価値が生まれることはほとんどありません。希少価値が生まれる可能性は、本物の方が圧倒的に大きくなります。ということは将来の収入に影響が出る可能性があります。同じ額面の貨幣でも、後世に高く取引されるのは発行個数が少ない貨幣です。同じ本物でも存在数の少ない方が価値はあります。これに本物という付加価値が加わったら勝敗は歴然です。

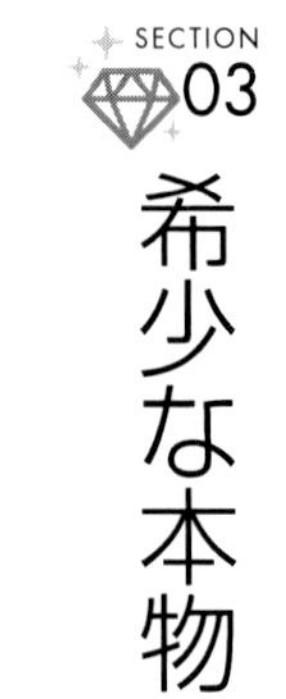

SECTION 03

希少な本物

私たちは物質に囲まれ、物質を食べ、物質に助けられて生きています。なぜかといえば、それは私たち自身が物質だからです。物質である私たちは同じ物質を食べて自分の身体を養い、物質を着て、物質を使い、物質を鑑賞することによってはじめて、物質に助けてもらい、命を持続させ、生きていることができるのです。

本物とニセモノ

物質世界には本物とニセモノがあります。野に咲く花は本物です。それに対して地下鉄のトイレに飾ってある花の多くはニセモノです。このように物質には多くの場合、本物とニセモノがあります。

生ハムの多くは本物のハムです。しかしプレスハムと呼ばれるものは日本以外ではむしろソーセージと呼ばれるものでハムのニセモノです。

マンションにお住まいの方は、和室は木（柱）と紙（障子）と草（畳）でできていると思うかもしれませんが、それは幻想です。現実はコンクリートとプラスチックでできています。理由は金額だけではありません。耐火や衛生を考えると本物の素材では要求を満足させるだけの性能をクリアできないのです。もし、本物だけで和室を作ろうとしたら、それは和室だけでなく、マンション全体の性能をグレードアップしなければ、むしろ危険を招くことになるかもしれません。

このように、現在の現実世界では本物は少なくなりつつあります。それはしかし、ある意味、避けられない事情があってのことなのです。止むを得ない事情で皆がニセモノに甘んじている世界で、1人だけ本物に固執すると、社会全体として歪を抱えることになります。

皆が我慢して、ニセモノを本物とあえて錯覚して日常を過ごす、現代はそのような大人びた生活を強いられているのかもしれません。

ニセモノの存在意義

それではニセモノの存在意義はどこにあるのでしょうか？　それともニセモノに存在意義はないのでしょうか？

虚栄心

無色なダイヤモンド、緑のエメラルド、青いサファイア、深紅のルビー、本物の宝石は色とりどりで美しいです。ところで、これらの本物の宝石には、それぞれに似せたイミテーションが用意されています。これらを集めてデザインしたリング、

●イミテーション宝石

ネックレス、ブローチなどの宝飾品は大変に美しく、本物と見まごうばかりです。

これらのニセモノは、世の中にいらない不要なものなのでしょうか? そんなことはありません。ニセモノの集合品とはいえ、これらの宝飾品は大変に美しく、それを身に着けた人をさらに美しく、魅力的に見せてくれます。これだけの宝飾品を本物の宝石で作ったら、王侯貴族でも手が出ないような価格になるでしょう。それを、庶民の小遣いでまかなうことができるようにしてくれるのです。こんなに嬉しいことがあるでしょうか?

審美眼

このようなニセモノを喜ぶ心には虚栄心もあるでしょうが、それ以上にもっと素直な、単に見た目の美しいものを喜ぶ心もあるのではないでしょうか? 工芸品におけるる金の価値の多くはこのような価値ではないでしょうか? 工芸品にあしらわれる金は大変に美しく、工芸品全体の美的価値を大きく高めてくれます。この場合の金は、それ自体に価値のある貴金属の金でなくても、「金色の何か」であれば立派に用が足りるのです。つまり、この場合の金は金でなくても金色の顔料でよいのです。それが金箔であり、金粉、金泥なのです。

充足感

動物である人間の困る点は、生きるためには食べなければならないということです。同じ生物である植物にはその心配がないだけ、優れているということができるかもしれません。人間は生きるために必要とするものが多すぎます。すべての人間が食べるもの、着るものに本物でなければ嫌だなどと文句を言っていたのでは、その人たちの満足を満たすだけの食料、衣料を用意することは現在の地球では無理なのではないでしょうか？　何世紀か後、人間が宇宙空間を自由に往来できるようになるまでは、今の地球の宅地と農地で辛抱する以外ありません。本物でなければ嫌だなどと贅沢を言っている余裕はありません。本物で足りない分は、例え少々の不満はあってもニセモノで我慢する以外ないのです。ニセモノこそは私たち人間を救ってくれる救世主なのかもしれません。感謝を忘れてはいけません。

健康維持

人間の健康は、昔に比べて増幅し、平均寿命は伸長し、世界人口は爆発状態です。人間の健康をこの状態に改善したのは、1つには医薬品の開発、改良のおかげであり、もう1つは人間の各種器官の機能を改善、代替えする人工臓器、器官の開発がありま す。これらはまさしく臓器・器官のニセモノというべきものです。ニセモノといっては折角活躍してくれている道具、器具に申し訳ない気がしていっぱいですが、「ニセモノ」という言葉が「悪い意味」だけでないことは、これまでのお話しでおわかりいただけたものと思います。

体外用

多くの読者の方の目はメガネ、コンタクトレンズ、あるいは白内障用の眼内レンズがないと視覚機能を発揮できなくなっているのではないでしょうか？　それは歯に関してもも同じなのです。1本の金属冠も義歯も入っていないという方はよほど頑丈な歯をお持ちの方だけでしょう。カツラをお使いの方も多いでしょうし、女性でも愛用の方が多いといいます。

最近は義足、義手、義指、義眼の性能がよくなり、外見だけなら自然のものと区別できないほどにまで改良されています。それだけでなく、義足の性能が格段に向上しているのはパラリンピックで見る通りです。車いすだって、パラリンピックのバスケットボールでは単に移動の手段を通り越し、格闘の手段にまで達しているのかと思わせるほどです。

体内用

体内の機能も同じです。人工骨、人工関節を入れている方も多いでしょうし、心臓にペースメーカーを入れている方も多いようです。体内埋め込み型ではないにしても、人工腎臓による人工透析を定期的に受けている方もいますし、新型コロナウイルスが蔓延したときには人工呼吸器が活躍しました。これらの装置は、言葉は悪いですがニセ内臓の一種といってもよい機能でしょう。

培養細胞

近年はこのような、機能を十全に果たせなくなった内臓の機能を機械的に補おうという考えから、新しい内蔵を作って悪くなった内臓と交換しようという抜本的な治療法も可能になってきました。iPS細胞のような人工的に作った幹細胞の利用です。

また、人間に応用するのは先の話になるのでしょうが、DNAの遺伝子を操作して遺伝子疾患を治療しようという画期的な治療法も視野に入ってきました。遺伝子組み換え、あるいはゲノム編集という手法です。このような技術によって改良、あるいは変更されたDNAは本来のその人に備わったDNAとは違ったDNAです。これはニセモノDNAなのでしょうか?　それとも改良DNAなのでしょうか?

このように考えると、ニセモノという言葉の定義をもう一度根本から考え直す必要が出てきそうです。

環境変動・気候変動

地球環境は変動しています。最近は気候変動が著しいです。その例が地球温暖化です。大気圏の温度が上昇し、気温が上昇し、気候が不順になって暑くなり、降雨が増えて洪水になっています。その原因は化石燃料燃焼に伴う二酸化炭素の増加といわれています。

氷期と間氷期

地球の歴史を見てみれば、地球の気温は寒い氷期と温かい間氷期の繰り返しであり、間氷期よりは氷期の方が長くなっていたことがわかります。つまり、地球は今より寒い方が普通なのです。人間に限らず、体温を一定に保たなければ生きていけない恒温動物は、温かい気候をヌクヌクと生きた期間より、寒い期間を飢えと寒さに苦しみながら生き抜いた期間が長かったようなのです。

ところが、人間が文明というものを産み出し、文明という居心地のよい生活を過ごした最近の1万年ほどの期間は、地球環境も間氷期の中間期間という最高の環境期間を迎えていたようです。というより、環境が最高状態だったから文明が誕生したといった方が正しいのでしょう。

人間に限らず、すべての生物にいえることですが、環境が優しいとその優しさに慣れてしまい、甘えてしまいます。現在の私たちがちょうどその状態だといっていいのではないでしょうか? 最高条件の気候温度が上にブレても、下にブレても、最高状態に慣れ切ってしまった身には辛く当たります。

地球寒冷化

現在は、たまたま上にブレて地球温暖化となりましたが、もしかして下にブレて地球寒冷化になっていたらどうなっていたでしょう? 被害は気温だけに留まりません。穀物は冷害にあって軒並み減産です。食料不足と飢えが「忍びよってくる」どころではありません。「足音荒く襲いかかって来た」ことでしょう。

このような時代に食料を確保するにはどうしたらよいでしょう？　人間がカロリー源にできるものはブドウ糖であり、デンプンです。同じブドウ糖でできていても結合の立体化学が異なるセルロースを分解することは人間にはできません。できることは、セルロース（草）を化学的に分解してブドウ糖にして食料に加工することくらいです。壮大なニセモノデンプンの化学合成です。

人類を救うニセモノ

今、人類はそのような途上にいます。問題は石油です。石油は化石燃料で、燃焼すれば二酸化炭素を発生します。しかし、同じ炭素でも植物は燃えて二酸化炭素になっても、種を撒けば芽が二酸化炭素を吸収して元の植物に成長します。すなわち燃料が再生されているのです。この植物を発酵して得たアルコールを燃料とすれば、それは再生可能エネルギーです。このようなわけで、植物アルコールを石油の代替燃料とする試みが実施されています。

しかし、問題があります。このような目的に使われる植物は食料用のトウモロコシなのです。トウモロコシは主に、貧しい国の人々の主食です。主食を燃料にするとは何事かという倫理上の問題が起きます。ということで、草(セルロース)を微生物発酵、あるいは化学反応でブドウ糖に分解し、その後、アルコール発酵させるという方法が開発研究されています。

●バイオエタノールのセルロース系原料

人間活動

人類から食料、衣料、医薬品などの必需品を奪うのは環境問題だけではありません。人類そのものも甚大な被害を与えています。

人口爆発

奪うといっては語弊があるかもしれませんが、人間にとっての必需品を使うのは人間です。その使用量は人口にほぼ比例します。世界人口は1900年(17億人)、1950年(25億人)、1975年(45億人)、1990年(50億人)、2000年(60億人)、2024年(80億人)です。これを爆発といわずに何といえばいいのでしょう? この先は2058年に100億人、2100年に109億人に達してこれがピークだそうです。

問題はその間、地球が酷使に耐えるかどうかです。現在の人口に食料を供給できるのは化学肥料と化学殺虫剤のおかげですが、そろそろ地球は疲れてきて、肥料を増加しても生産物の増加はこれまでほどには見込めなくなってきているといいます。

今後の可能性は食料の範囲を拡大することでしょう。それにはセルロース（草木）の分解食料化や代替食品、昆虫食などです。いずれもこれまでの観点からみればニセモノ食料です。

戦争・テロリズム

人口爆発は仕方がないとして、何とかしたいのは人間同士の争いです。戦争は消費者としての人間を減らすだけではありません。生産者としての人間をも減らし、生産場としての農地を荒し、大切に保存した必需品を破壊し、焼損します。戦争、テロ、言い訳は何であれ、人間同士の殺し合いは絶対にいけません。

戦争をなくすのに一番の早道は世界中から爆薬をなくすことかもしれません。TNT（トリニトロトルエン、バクダン用化薬）もニトログリセリン（ダイナマイト用化薬）もなく、昔ながらの硝石（硝酸カリウム）を使った黒色火薬しかなかった19世紀、戦争が起こってもドンパチやるのは最初だけで、すぐに火薬がなくなった後は、外交交渉で停戦になったといいます。

ところが20世紀になってハーバー・ボッシュ法が開発されると、人工的にアンモニアが無尽蔵に生産可能になり、それを利用して硝酸が無尽蔵に生産可能となりました。このおかげで硝酸カリウム、硝酸アンモニウム（硝安）、硫酸アンモニウム（硫安）という優れた化学肥料が生産されたのですが、同時にTNT、ニトログリセリンといった優れた爆薬が無尽蔵に生産可能になりました。第二次大戦があれだけ大規模な戦いになったのはハーバー・ボッシュ法のおかげだという説さえあるほどです。

「化学」薬品は「化けもの」です。半分よいことをしたら、後の半分は悪いことをやって、どこかで帳尻を合わせているのかもしれません。

●硝酸の生成

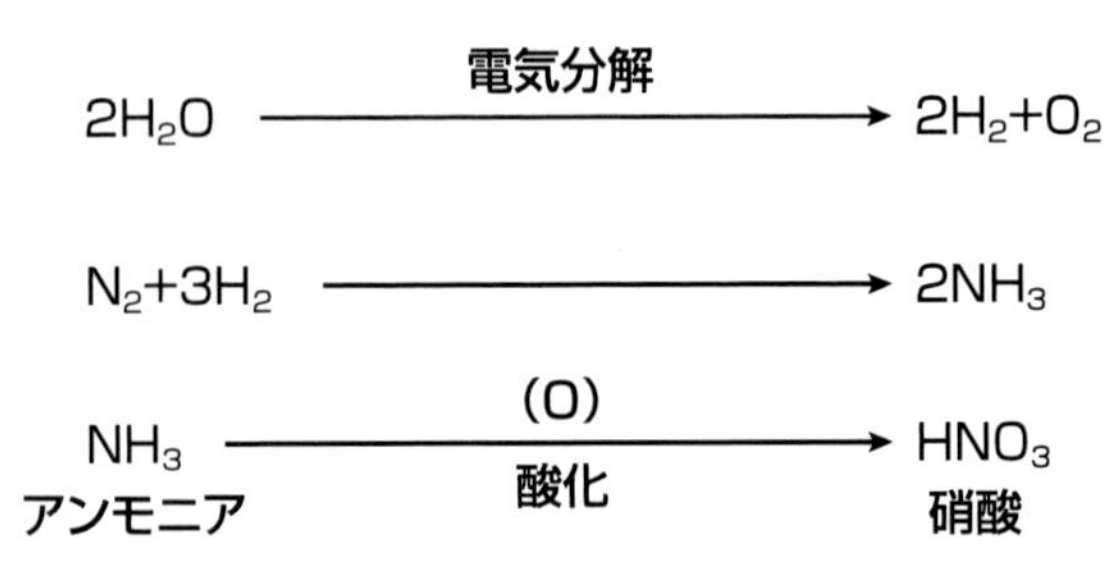

Chapter.2
改質食品

SECTION 08

代替肉

代替肉（だいたいにく）というのは本物の肉の代わりになる食べ物、まさしく「ニセモノ」です。代替肉には多くの種類がありますが、多くは植物タンパク質で動物肉の代用品を作るというコンセプトで進められています。

食品中のタンパク質量

植物性食品の主成分は炭水化物、動物性食品の主成分はタンパク質と思いがちですが、実際はどうなのでしょうか?

植物性食品として大豆、米、小麦の100g当たりの炭水化物の含有量を比べると、米77・6g、小麦72・1gと、まさしく主成分になっています。それに対して大豆は28・5gと極端に少なくなっています。それでは大豆の主成分は何かというと、主成分はタンパク質で36・7gです。

それでは米、小麦のタンパク質含有量はどれほどかというと米6・1g、小麦10・8gと大豆の1／4から1／6にすぎません。現在の植物性代替肉の多くは大豆を原料としていますが、その理由がわかります。

大豆タンパク

大豆タンパクは大豆から抽出したタンパク質です。大豆タンパクそのものは白い粉末ですが、それに加工を施していろいろの形状のものが市販されています。

大豆タンパクを作るには、まず、大豆

●大豆タンパク

から「油分（大豆油）」を抜いて、「脱脂大豆」を作ります。これを水と煮た後、濾過して大豆の外皮などからなる「おから」を除いて「脱脂豆乳」を作ります。最後にこれを乾燥すると、タンパク質含有量が90％以上の粉末状大豆タンパク質となります。これはそのまま、スポーツマン向けの商品「大豆プロテイン」となります。大豆タンパクは、他に、いろいろの商品の開発に利用されています。

●ソイミート

①ソイミート

大豆タンパクを繊維状にして肉のように見立てたものは、「ソイミート」「ベジミート」「大豆肉」といった名前で市販され、東南アジアで人気を博しているといいます。ハンバーグなどのようなミンチ肉に混ぜると、本物の肉と区別がつかないといいます。

② 豆乳・豆腐・湯葉

大豆を煮て絞った煮汁が「豆乳(とうにゅう)」であり、これはそのまま「大豆ミルク」の名前で代替ミルクとして利用されます。その他に豆腐、湯葉(ゆば)など、なじみの食品もあります。

小麦タンパク

小麦に含まれるタンパク質は主に2種類でグリアジンとグルテニンです。これらのタンパク質を多く含んでいるものを「硬質小麦」、タンパク質が少ないものを「軟質小麦」、そして硬質小麦と軟質小麦の間のものを「中間質小麦」といいます。これらの小麦から得られる小麦粉をそれぞれ「強力粉(きょうりきこ)」「薄力粉(はくりきこ)」「中力粉(ちゅうりきこ)」といいます。それぞれピザ生地(強力粉)、ケーキ用(薄力粉)、パン生地(中力粉)などとして用います。

① 麩(ふ)

小麦粉を水に入れて練るとデンプンが溶け去り、代わってグリアジンとグルテニンが結合した、非常に粘っこいグルテンというタンパク質が得られます。これを成形したものが小麦タンパクであり、それから作った食品が麩(ふ)です。麩にはいろいろの種類があります。

②浮き粉

もちろん、溶けたデンプンは捨てるわけではありません。ここには純粋に近いデンプンがあります。このデンプンを特に「浮き粉」といいます。片栗粉に近い質感で、加熱すると半透明になり、中華料理の点心に使われるエビが透けて見えるエビ餃子や、水まんじゅうなどの和菓子によく使われています。

キノコ代替肉

イギリスを中心としたヨーロッパで、よく利用されているのが「クォーン(Quorn)」という代替肉です。これはキノコを原料とした代替肉といわれています。作り方はある種のキノコの根(菌糸)の部分を発酵させると、「マイコプロテイン」という無味の食品ができます。このマイコプロテインを加工して、さまざまな代替肉製品を作るのです。マイコプロテインの最大の特徴は、構造が繊維構造であり、しかも肉の繊維に似ているので、クォーンには肉の持つ固さがあるということです。さらに植物由来のタンパク質に比べ、コストが安く食感にも優れているということです。味よりも食感を大切にするのは、肉を主食とするヨーロッパならではの感覚なのかもしれません。

植物製フェイク肉

食物は栄養だけで食べるものではありません。味はもちろん、食感、外観、匂いなど、人間が五感をフル稼働させて食べるものなのです。食感を大切にしたクォーンがヨーロッパで人気なのはそのようなことの現われなのでしょう。このような観点で見ると、代替肉の地平がさらに広がります。私たちの身の周りには、タンパク質は含まないが、食感や味、外観は肉に似ているという食品がいろいろあります。その中に、お寺で食べる精進料理に「ウナギのかば焼き」があります。これは焼き海苔の上に山芋の擦ったものを盛り、それにウナギのタレをつけて焼くのです。海苔がウナギの皮に相当します。見た目、味、共に本物のウナギのかば焼きに近いのではないでしょうか？

培養肉

　近年、世界的な人口増加や経済成長に伴い食肉需要が増加しており、従来の畜産だけでは需要をまかないきれなくなる懸念が生じています。こうした中で開発されているのが科学技術を活かした新しい肉（代替肉）です。代替肉には、植物成分を使った植物肉、昆虫タンパクを使った昆虫肉、動物細胞を原料とする培養肉があります。特に培養肉は、実際の肉と同じ動物の細胞を原料とするため、味や食感だけでなく、成分や組成も実際の肉を再現できる可能性のあるユニークな代替肉です。

●培養肉

培養肉

一般に培養というと、バイキンに代表される微生物をガラスのシャーレなどに入れたデンプン液などの培地の上で増殖させることをいいます。微生物も生物です。生物を増殖させるのなら「飼育」ではないかと思われます。その通りで、植物や動物のような「多細胞生物」を増殖、繁殖させることは一般に栽培、飼育、あるいは養殖などといいます。それに対して培養は「単細胞生物」を増殖するときに用いられる術語なのです。

①細胞培養

培養の技術を使うと、「単細胞生物」だけでなく、いろいろの細胞を増殖することができます。例えば植物の組織の一部を切り取って培養すると、その植物全体が復活・再生します。挿し木はこのような現象を利用した技術です。

それだけでなく、多細胞生物を構成する細胞の1個を取り出して、その細胞を培養することもできます。これを特に「細胞培養」といいます。細胞培養の特殊な例がクローンということになります。

②培養の方法

培養の技術は生物学や医学に必要な技術で、その方面で研究されてきました。細胞培養に限らず、培養の基本技術は「生きている細胞」を「培養液」の中に入れて「適当な条件」の下で増殖させるということです。培養液とは無菌の清潔な水の中に、細胞の増殖に必要な栄養素としてのアミノ酸や糖、各種のミネラルなどを溶かしたものです。

「適当な条件」というのは、増殖中の細胞を攻撃する雑菌が入らないように「清潔」に保つ、細胞が増殖しやすいように適当な「一定温度」「一定pH」を保つ、というようなことです。しかし、スーパーで売っているお肉を買ってきて培養液に入れても、その肉が細胞分裂を繰り返して増殖することはありません。それは、スーパーで売っているお肉の細胞は死んでいるからです。一度死んだ細胞は、現代の技術ではどうやっても復活再生させることはできません。

③培養肉の作り方

培養肉とは、お肉の細胞を細胞培養の技術によって増殖して得た、「細胞の塊」のことをいいます。

牛、豚、鶏など、増殖したい動物の筋肉を取り出し、酵素を使って分解してバラバラの細胞にします。それをそれぞれの動物の体内に似せて作った培養液に入れ、清潔を保ったうえで、ミネラル濃度、温度、pHなど条件を厳重に管理すれば、1個の細胞は増殖して、最終的には何百万、何千万個の細胞に増えます。

この細胞は筋肉細胞ですから、もちろん主体はタンパク質です。牛の筋芽細胞を用いれば牛の味のする培養タンパクが、豚の筋芽細胞を用いれば豚の味のする培養タンパクが得られるはずです。

筋肉組織を作るには?

しかし、このような筋肉細胞の集合はイコールお肉(筋肉)だといえるのでしょうか? これでは筋肉細胞のスープであり、噛んで食べるための個体筋肉、お肉とはいえないのではないでしょうか? 単なる培養タンパク質と培養筋肉細胞は違うのです。筋肉というからには、筋肉としての三次元の組織的構造を持っていてもらわなければ困ります。幸いなことに培養の方法は進化しています。現在では培養の方法はいろいろあり、細胞をバラバラの状態で培養する他に、方向性の異なった2次元の平面状に増やしていく方法などはすでに一般的な方法です。しかしその他にも、細胞を浮遊させたり、球状に集合させたりするなど、細胞培養の方法にはさまざまな種類が考案、開発されています。

鶏の培養肉

培養肉は、すでに実験の段階を通り越して、実用の段階、それどころか市販の段階まで来ています。シンガポールでは2020年、動物の細胞から人工培養で作った「クリーンミート」(屠殺された動物のものではない食肉)の販売を、世界で初めて承認しました。

これを受けて、植物由来の材料で作った「卵」など、代替タンパク質の製品を手がける食品企業社が、シンガポールのレストランで、培養鶏肉で作ったチキンナゲットを顧客に提供しました。価格は1皿23シンガポールドル(約1800円)で、高級鶏肉の料理と同じ程度の値段といいます。

遺伝子操作

人間は長い歴史を通じて作物の収量、耐病性を上げるように改良を続けてきました。そのための手法は望むような性質を持った作物同士を交配するというものでした。しかし、交配には限度があります。種の壁を乗り越えることは困難です。イネ科の米とマメ科の大豆を交配しても、次世代を継承する実りある実はできません。

ところが遺伝子の知識と、それを扱う技術が急速に、格段に進歩した現代では、そのような、夢のようなことが実現できるのです。

遺伝子組み換え

遺伝子(ゲノム)は核酸DNAに組み込まれたもので、生物の遺伝情報を蓄えたものです。遺伝子組み換えはある種の生物のDNAを取り出し、そこにまったく異なる他の種の生物のDNAを継ぎ足して新しいDNAを合成し、それをもとに新しい種を作り出し、成長させる技術です。これは神話の世界に登場する、肩から上は人間、下は牛という生物、あるいは上半身は美しい女性、下半身はヘビというキメラを可能にする技術といえるでしょう。

現代式の遺伝子組み換え技術によって、高品質、多収穫で病虫害に強いという優れた作物が何種類も誕生し、実際に市場に出回っています。これが遺伝子組み換え作物です。日本では、このような作物の作製、育成は行われていませんが、収穫された作物の輸入は品種限定で許可されています。それは大豆、ジャガイモ、ナタネ、トウモロコシ、ワタ、テンサイ、アルファルファ、パパイアの8種です。

遺伝子組み換え作物の安全性に懐疑的な意見もあります。しかし、実験的に異常が見つかったことはなく、実際に害が現われたこともないとされています。

ゲノム編集

遺伝子組み換えが批判的な意見に晒されているのに対して、最近注目されているのがゲノム（遺伝子）編集です。これは遺伝子を編集する技術です。つまり、1つのDNAを切ったりつないだりして修正（編集）を加えるのです。この技術の基本は、「他の固体の遺伝子を持ち込まない」ということです。したがって、遺伝子組み換えのようなキメラができる可能性はありません。

それでは、このような技術が、なぜ、農業や畜産に有効なのでしょうか？　それは、生産に不利不要な遺伝子を抹殺できるということです。例えば、マダイには、筋肉の量を一定量以上に増やさない遺伝子が入っているそうです。そこでこの遺伝子を「編集」して取り除くのです。すると、従来のマダイより20％も筋肉量の多いマッチョマダイが誕生するそうです。

この技術を「善し」とするかどうかは難しい選択のように思いますが、肉の多いマダイは食料として見ればよいことなのでしょう。しかし、このようなマダイが海に蔓延したら、困る小魚が出るのではないでしょうか？　日本の小川にブラックバスが登場したようにはならないのでしょうか？　とにかくこのゲノム編集技術は認可され、関係省庁に届けさえすれば使用可能となっています。

放射線照射

生物に放射線を照射するとＤＮＡが損傷されます。すなわち、遺伝を司るＤＮＡが変質、変化するのです。この損傷ＤＮＡの指示によって作られた生物も、本来の生物とは異なったものになるでしょう。このような変化を突然変異といいます。放射線照射による品種改良は次のようなものがあります。

① 大豆

生の大豆は青臭くて食べにくいものですが、最近の豆乳は青臭さが減り、飲みやすくなりました。これは放射線育種により、青臭さの原因となるリポキシゲナーゼという酵素を除いた「いちひめ」という大豆が使用されているからです。

② 稲

風の影響に強く倒れづらい「レイメイ」や、収穫量が多い「アキヒカリ」などの稲も放射線育種で作られたものです。

③ 梨

「二十世紀梨」は美味しい梨ですが、ナシ黒斑病という病気にかかりやすいという欠点があります。ガンマ線照射を行った結果、黒斑病への抵抗性を持つ以外は二十世紀梨とほぼ同じ性質を持つ梨を生み出すことに成功しました。この梨は「ゴールド二十世紀」と名付けられて市販されています。

④ 応用例（害虫駆除）

放射線照射は植物を改良することだけに用いられるのではありません。害虫を駆除するのにも用いられます。ウリミバエは体長7～8㎜の小さいハエですが、キュウリ、カボチャ、ピーマンなど多くの野菜に寄生する困った害虫です。しかしこの害虫は現在では完全に駆除され、日本にはいません。これは放射線照射のおかげです。つまり工場で人工的に繁殖させたハエのオスのさなぎに放射線を照射して不妊化します。このオスを野外に放すと、このオスが関与した卵は孵化しなくなります。この操作を繰り返し行うことで、害虫の根絶に成功したのです。

食品改質剤

現在市販されている食品のうち、生鮮食品以外のほとんどすべての食品には、本来は食品とは呼ばれない各種の物品、化学薬品が加えられています。そのようなものを一括して食品添加物といいます。

食品に加えることのできる添加物の種類とその使用量の上限は法令によって定められていますので、それが守られていれば安全と考えてよいのだろうと思われます。

しかし、腐らない食品、本物より美しい食品、本物より舌触りのよい食品を「本物の食品」と呼んでいいのでしょうか？　「ニセモノ」と呼んでは問題があるでしょうか？

そのようなご判断は読者の皆様に任せることにして、ここでは食品改質剤のいろいろを見ておきましょう。

食品添加物の種類

食品添加物には合成化学物質と天然物由来のものがあります。食品添加物を加える目的には、味の向上、外観の向上、保存期間の延長などの目的があり、さまざまな物質が使われています。

① 製造段階で入れるもの

消費者により喜ばれる製品にするために加えるものです。

- 調味料……人工甘味料、クエン酸、酢酸、うま味調味料などです。
- 膨張剤……製パンなどで天然酵母の代わりに用います。
- 増粘剤……ソーセージなどで滑らかな口当たりのために加えます。
- 乳化剤……水と油のように混じらないものを混ぜるために加えます。
- 人工甘味料……甘味を加えるために用います。
- 合成香料……香りを加えるために用います。

② 流通経路の関係で入るもの

流通の途中でトラブルが起きないように加えるものです。

- 保存料………細菌の増殖を防止し、食品の腐敗を防止します。
- 酸化防止剤……食品が酸化され品質が劣化するのを防ぎます。
- 乾燥剤………食品が吸湿して品質が落ちることのないように加えます。
- 防カビ剤……カビが生えるのを防ぎます。

③ その他の目的で入るもの

食品に付加価値をつけるものです。

- 漂白剤………天然の色を消し、より白くします。
- 着色剤………食品に色を着け、食欲と購買欲を刺激します。
- 栄養強化剤……カルシウム、ビタミンなどです。

殺菌剤

細菌を殺す目的で使うもので、作用の強いものです。

①　**次亜塩素酸ナトリウム$NaClO$**

上水道の殺菌に使われるサラシコの有効成分です。分解して、殺菌効果のある塩素ガスCl_2を発生します。

②　**過酸化水素H_2O_2**

消毒薬のオキシフル、あるいはオキシドールの有効成分です。分解すると水と酸素になりますが、この酸素が細菌を攻撃して酸化殺菌します。

③　**オゾン水O_3**

オゾンを吸収させた水です。オゾンは分解すると酸素となります。効果は過酸化水素と同じです。

防腐剤

防腐剤は、食品などに細菌が繁殖して腐敗することを防ぐ目的の薬剤であり、保存料とも呼ばれます。そのため、細菌の侵入・発育・増殖を妨げるもので、殺菌作用はありません。殺菌剤よりは効果が低いです。

① しらこタンパク抽出物

サケの精巣(しらこ)の中にあるプロタミンやヒストンという特殊なタンパク質を取り出したものです。微生物が増えることによって生じるネバネバの発生を遅くする効果があります。かまぼこなどに用いられます。

② 安息香酸

本来は天然物ですが、一般に用いられるのは合成品です。各種の微生物に対して増殖を抑制する効果があります。各種食品、飲料水、酒類に広く用いられます。

③ ソルビン酸

天然物ですが、一般には合成品が用いられます。抗菌力は強くないですが、カビ、酵母、細菌などに幅広い効き方をします。チーズ、肉、魚肉製品、漬物などに用いられます。

酸化防止剤

食品が長期間空気に触れると、空気中の酸素によって酸化され、外見や味が劣化し、保存性が悪くなります。それを防止するために加えられるのが酸化防止剤です。

① 脱酸素剤

食品の酸化を防ぐには食物と酸素の接触を絶てばよいのです。そのためには食物を気密容器に入れて、酸素の混入を遮断すればよいことになります。そのような考えで開発されたのが脱酸素剤であり、お菓子の包装などの中に入っている、乾燥剤に似た小袋入りの顆粒です。主成分は鉄Feであり、Feが酸素と結合して酸化鉄Fe_2O_3になりやすいことを利用したものです。

②酸化防止剤

一般にいう酸化防止剤は、食品そのものに混入し、消費者の口に入るもののことをいいます。このような酸化防止剤としてよく用いられるのがビタミンCです。ビタミンCは、周りに酸素があると素早くそれと反応するのです。つまりビタミンCは、周りの酸素をいち早く捕まえてしまい、結果的に酸素が食品と反応することを妨げるのです。

乾燥剤

焼き海苔や煎餅など、湿気にあってはせっかくの風味が台無しになるものがあります。このようなものを湿気から守るのが乾燥剤です。

①生石灰

昔から乾燥剤としてよく用いられています。生石灰CaOは水と反応して消石灰$Ca(OH)_2$になります。ということは、周囲から水を奪うことになるので乾燥剤の役目になるのです。しかし、水と反応するときに大量の熱を出すので、子供が誤って口にすると重篤な火傷になります。また、水気のあるゴミ箱に捨てると、火事の危険性があります。

② **シリカゲル**

最近よく用いられるのはシリカゲルです。これは砂の成分と同じ二酸化ケイ素SiO_2の固体です。砂と違って表面が多孔質になっているので、表面積が非常に大きく、1g当たり700平方メートルに達するといいます。この表面に水分子が吸着するので乾燥効果が出るのです。

③ **活性炭**

活性炭も表面積が大きく、吸水作用があります。しかし、活性炭は脱臭剤として利用されることの方が多いようです。

合成着色料

食品をより美味しく見せるためには、美しい色を着けたほうが有利なことがあります。また、装飾性や儀式性のために色を着けることもあります。

ただし、鮮魚介類や食肉、野菜類などの生鮮食品に着色料を使用することは、鮮度の判断を誤る可能性があるので禁じられています。着色料には、クチナシの黄色や紅花の赤色のような天然の色素と、化学的に合成された合成色素の2種類があります。天然色素は安全なものと思いがちですが、中には有害なものもあります。植物のアカネから取れるアカネ色素は、腎臓ガンを起こす可能性があるとされ、2004年からは使用できなくなりました。

合成着色料の多くはベンゼン骨格を持っています。ベンゼン骨格を持つものには、発ガン性が指摘されるなど健康によくないものがありますので注意に越したことはないでしょう。現に、青色1号や黄色4号などにはアレルギーや、肝臓障害の原因の可能性が指摘されています。

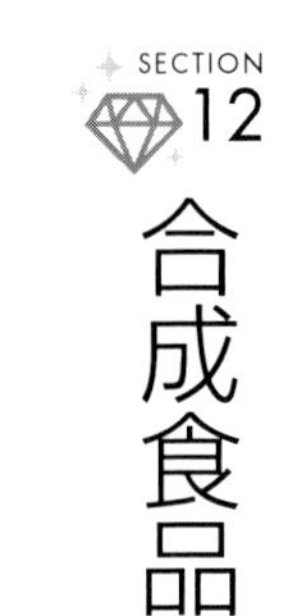

SECTION 12 合成食品

現代化学は、人間が欲しいと思うものなら大概のものを作ることができるまでに進歩しています。人工的に甘いものも、香りのよいものも作ることができます。

人工甘味料

人間が人工的に合成した甘味料を人工甘味料といいます。一般に人工甘味料は砂糖の何百倍も甘く、カロリーは比較にならないほど低いです。そのため、人工甘味料はダイエット食品や糖尿病患者の食品などに利用されています。しかし、中には健康に問題があるものもあります。主なものを見てみましょう。

① サッカリン

人類が最初に作りだした人工甘味料で、砂糖の500倍の甘みを持ちます。第一次世界大戦で世界的に砂糖が不足しているときに発売され、人気になりました。その後、発ガン性を疑われましたが、現在では疑いが晴れ、ダイエットなどで利用されています。

●サッカリン

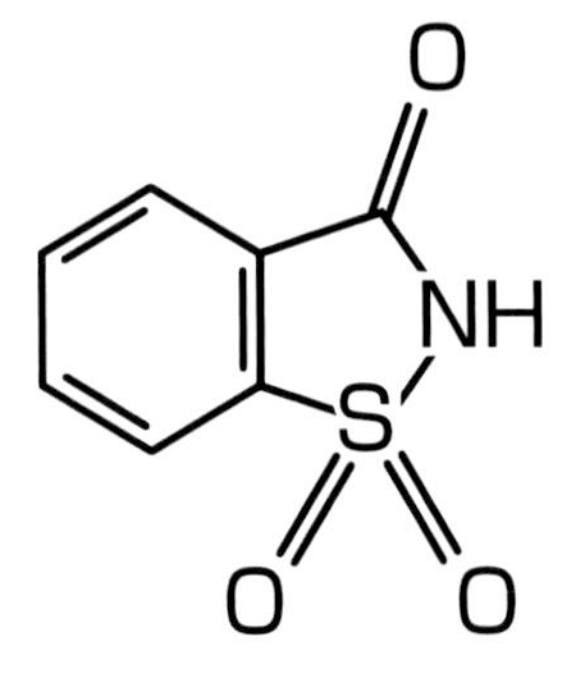

② キシリトール

天然にもカバノキなどに存在しますが、実用的には化学合成で作っています。口腔内で虫歯の原因となる酸性物質に変わることがないといわれます。そのため、これが原因で虫歯になることはありませんが、虫歯を治す効果はないものと見られています。砂糖と同程度の甘みを持ちながら、カロリーは40％しかないのでダイエットにも向いています。

③アスパルテーム

2個のアミノ酸、フェニルアラニンとアスパラギン酸が結合したものであり、砂糖の200倍の甘さを持ちます。タンパク質の原料であるアミノ酸が甘味料の原料にもなるということで学会が驚きました。体内で分解されてフェニルアラニンが生じるため、フェニルケトン尿症患者には危険性が指摘されています。

④スクラロース

砂糖分子の8個のOH原子団(ヒドロキシ基)のうち、3個を塩素Clに変えた(置換した)化合物であり、有機塩素化合物の一種です。砂糖の600倍の甘さを持ちますが、138℃以上に加熱すると、有毒ガスの塩素を発生します。

●アスパルテーム

アスパルテーム

HOOC, O, COOH, N, H, NH_2

↓

アスパラギン酸

HOOC, COOH, NH_2

＋

フェニルアラニン

COOH, H_2N

⑤ チクロ、ズルチン

砂糖に比べてチクロは50倍、ズルチンは300倍の甘さを持ち、かつて大量に使われていました。しかし、使用すると内臓疾患を起こすことが明らかになったために、少なくとも日本では、1969年に使用禁止になりました。

●ズルチン

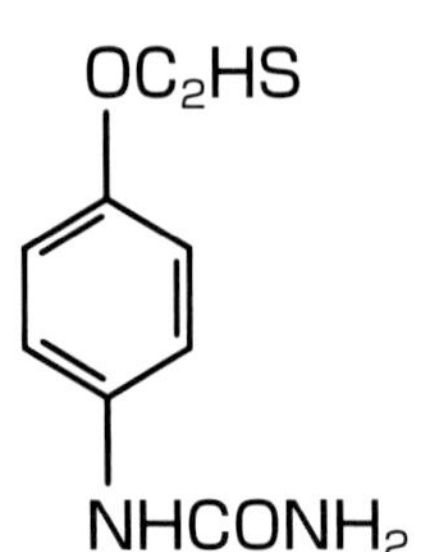

うま味調味料

うま味調味料は自然界にありふれたアミノ酸の一種であるグルタミン酸です。最初は昆布から抽出した天然物を用いていましたが、その後、工場で化学的に作った時代があり、化学調味料とも呼ばれました。しかし現在では、サトウキビの汁から砂糖を採った後の廃液(廃糖蜜)を原料として微生物発酵で作っています。その意味で、日本酒などの醸造酒と同じように天然物の一種といえます。蒸留酒のラム酒も廃糖蜜から酵母という微生物によるアルコール発酵で作りますが、ラム酒を化学酒とはいいません。

合成香料

香料は栄養やカロリーに資するところは何もありません。それは、人間の嗅覚が味覚に比べて比較にならないほど鋭敏だからです。それでいて食欲を刺激することに関しては調味料にひけをとりません。

しかし天然香料は、手に入る季節が限られます。また貴重な香料は高価になります。そこで、天然香料の香り成分を化学的に合成しようとの研究が行われ、そのようにして人工的に合成されたのが合成香料です。

合成香料には、バニラのバニリン、ミントのメントールのように、天然物に含まれる匂い分子そのものを合成したものと、天然物とは無関係に、固有の(好ましい)香りを持つために合成されたものがあります。

食品衛生法で認可された合成香料は132品目に達します。香料は単独で使うものばかりではありません。組み合わせて使えば、たいていの天然香料と似たものは作れるといいます。

SECTION 13 フリーズドライ

インスタントコーヒーの粉末に熱湯を注げば即座にコーヒーの薫りが立ち上ります。カップ麺に熱湯を注いで3分待てば、チャーシューの乗ったラーメンができあがります。フリーズドライ食品は、風味や栄養を損なわずに長期間保存ができるということで、今では私たちの日常生活に深く根ざしています。

フリーズドライ食品

ところで、フリーズドライとはどういうことでしょう？　「フリーズ」とは凍らせること、「ドライ」とは乾燥することです。フリーズドライは「ただの乾燥」とは違うのでしょうか？

コーヒーはコーヒー成分の水溶液です。液体のコーヒーを乾燥して粉末にするには水分を除かなければなりません。そのためには100℃以上に熱し続けて水分を沸騰させて蒸発する必要がありますが、それではコーヒーの香りは台無しです。何とか加熱しないで水分を蒸発させることはできないでしょうか?

そのようにして考え出されたのがフリーズドライです。フリーズドライは化学的には「昇華（しょうか）」といいます。その典型はドライアイスです。水は低温で固体（氷）ですが、加熱して融点（0℃）になると融解して液体の水になり、沸点（100℃）になると沸騰して気体（水蒸気）になります。つまり温度の上昇につれて「固体→液体→気体」と変化します。

●フリーズドライのコーヒー

ところが二酸化炭素の固体(結晶)であるドライアイスは、低温では固体なのに室温では気体になります。液体の二酸化炭素を見たことのある人はおそらくいないでしょう。つまり二酸化炭素の変化は「固体→気体」です。固体が液体状態を通らずに直接気体になるのです。このような変化を一般に昇華といい、タンスに入れる殺虫剤のナフタリンなどでも見られる現象です。

水も同じように、固体(氷)から直接蒸発させることはできないものでしょうか? 水もできます。つまり、真空(低圧)にすればよいのです。水は低圧(0・06気圧)にすると0・01℃以下の温度で昇華します。つまり、氷が直接水蒸気になって出ていくのです。

これがフリーズドライの原理です。この原理を用いれば、コーヒーを冷凍状態のまま乾燥することができます。コーヒーの香りが損なわれることはありません。そしてこのフリーズドライ状態の食品に水分を加えれば、元の瑞々しい食品に戻るのです。

Chapter.3
人工人体パーツ

カツラ

最も簡単な人工人体パーツといえばカツラ(義髪)でしょう。エジプト、ギリシャ、ローマなど古代文明の時代からファッションとして、あるいは脱毛を隠すために使用されてきました。

カツラ

日本でも古代の頭飾具として花や葉などの飾りを用いたことに始まるとされています。その後、歌舞伎など演劇用として発達し、断髪が増えた明治時代以降は、日本髪や巻き上げ髪用として広く使われるようになりました。現在も舞台の他に舞妓さんや芸者さん、結婚式の花嫁用以外にも、男女を問わず髪の薄くなった人たちのために多くの需要があるようです。

16世紀の西洋では、ノミやシラミが流行していたことから、衛生状態を保つために地毛の頭髪を短く剃って、人毛を編んだカツラを使用するのが、一般化しました。18世紀になって生活の環境が改善してからもその習慣は残り、1800年頃までは正装の一部としてカツラが着用されていました。

① カツラの素材

カツラは頭の形に作ったベースに毛を植えつけたものです。毛は、以前は人毛や獣毛を用いたようですが、現在では特殊用途のものを除いては、すべて合成繊維のようです。素材を見ると、カツラのベース部分(頭皮部分)は、ポリエチレンやポリ塩化ビニル、ポリウレタン、ナイロンなどの合成繊維で織ったネットになっていますが、髪の素材は各メーカーのトップシークレットのようです。毛の部分は基本的にモダクリル、塩化ビニル、ポリアミドなどを芯と鞘の二重構造にしたものが多いようです。モダクリルというのは、日本で開発された塩化ビニルとアクリロニトリルポリマー(共重合体)であり、人毛に似た風合いを持ち、しかも難燃性なので、カツラだけでなく、セーターや毛布、ヌイグルミなどに用いられています。

②カツラの種類

カツラは頭全体を覆う全頭用カツラと、一部分だけを覆う部分用カツラがありますが、ポニーテールなどの髪型にするため、束ねた髪に結ぶなどした自毛と組み合わせて用いる毛もあります。これは「髪の延長を目的とした毛」であることからエクステンション(付け毛)と呼ばれ、部分用カツラの中のさらに細分化した概念となっています。

③カツラの近代化

カツラは、以前は舞台用あるいは女性のおしゃれ用として考えられてきましたが、近年では目覚しいほどの技術の発展により男女問わず使用者が増える傾向にあります。使用者が増えた大きな理由は、カツラの製作技術が向上したことによるものです。また、男性用に限っては、以前よりカツラ使用者への他人からの偏見が減少したこともあります。特に2000年頃から、開発された「頭皮一体型の薄型カツラ」の普及は目覚しいものがあります。

義歯

私たちの多くの人々が利用している人工人体パーツといえば、義歯ではないでしょうか？

義歯とは

義歯にはすべての歯を代用する総義歯と、一部の欠落した歯だけを代用する部分義歯があります。総義歯は歯本体と、それを支える床部分からできていますが、部分義歯は義歯を健康な歯に結び付けて保持するための「クラスプ」と呼ばれる止め具が付きます。

義歯の素材はいろいろであり、歴史的に見れば動物の骨、象牙など動物の牙、あるいは木材、陶磁器などと、思いつくものはたいてい試されています。しかし、現在は、歯には陶磁器、セラミックス、床には金属も用いられていますが、保健医療の対象になる素材は、すべてレジン、要するにプラスチックになっています。

①プラスチック素材

歯の部分には噛んでも磨耗しない固い素材が求められます。以前は熱硬化性樹脂が用いられましたが、現在は装着感、加工性に優れ、色彩の自由度も高い熱可塑性樹脂が用いられます。床部分は装着感だけでなく、食べ物の温度や食感を伝えるにも薄いほうがよいのですが、最近よく用いられているのはバルパラストといわれる床で、これはナイロンなどに似たスーパーポリアミドというプラスチックからできています。

また、止め具部分にはポリアセタールというプラスチックが用いられます。これは弾力性と強靭性に優れ、10万回脱着してもほとんど変形、磨耗しないといわれます。

このように、最近の義歯はほとんどすべてがプラスチックからできているといってよさそうです。なお、義歯を安定化させるために入れ歯安定剤が市販されています。これにもいろいろの種類があるようですが、高吸水性高分子、ポリエチレン、グリースなどからできていますから、これもまた完全にプラスチックです。

② セラミックス素材

セラミックス材料は化学的に安定で硬く、食物を粉砕するには最適の素材です。また、他の材料と比較して天然歯に類似した色調を再現することができ、変着色も少ないので優れた材料として広く利用されています。

接着歯は歯の表面に、薄く、天然歯のような透明感があるセラミックス製の接着歯(ラミネート)を接着するものです。これによって歯の表面を白くしたり、歯の隙間を埋めたり、欠けた前歯の形を整えたりすることができます。

セラミックスは強いので、歯の表面のエナメル質層を0・3~0・5㎜程度削るだけで済み、歯ぐきとの境目の部分を薄くできるので接着したことがわからないほど、自然な仕上がりになります。

インプラント

デンタルインプラントとは、欠損歯を補充するために顎骨に埋め込む人工的な物質、人工臓器の1つです。

インプラント治療は、インプラント体を手術で顎骨に埋め込み、インプラント体表面と骨を癒着させるため6週間から6カ月間の治癒期間を置いた後、その上に人工歯冠・上部構造をセメント、磁石などで装着する一連の治療のことをいいます。

インプラントの人工歯根はチタンから始まったとされており、その後チタンより骨とのなじみがよいセラミックスの研究が行われ、現在ではアルミナやハイドロキシアパタイトという骨の成分と同じもので作ったセラミックスが広く治療に用いられています。

●インプラント

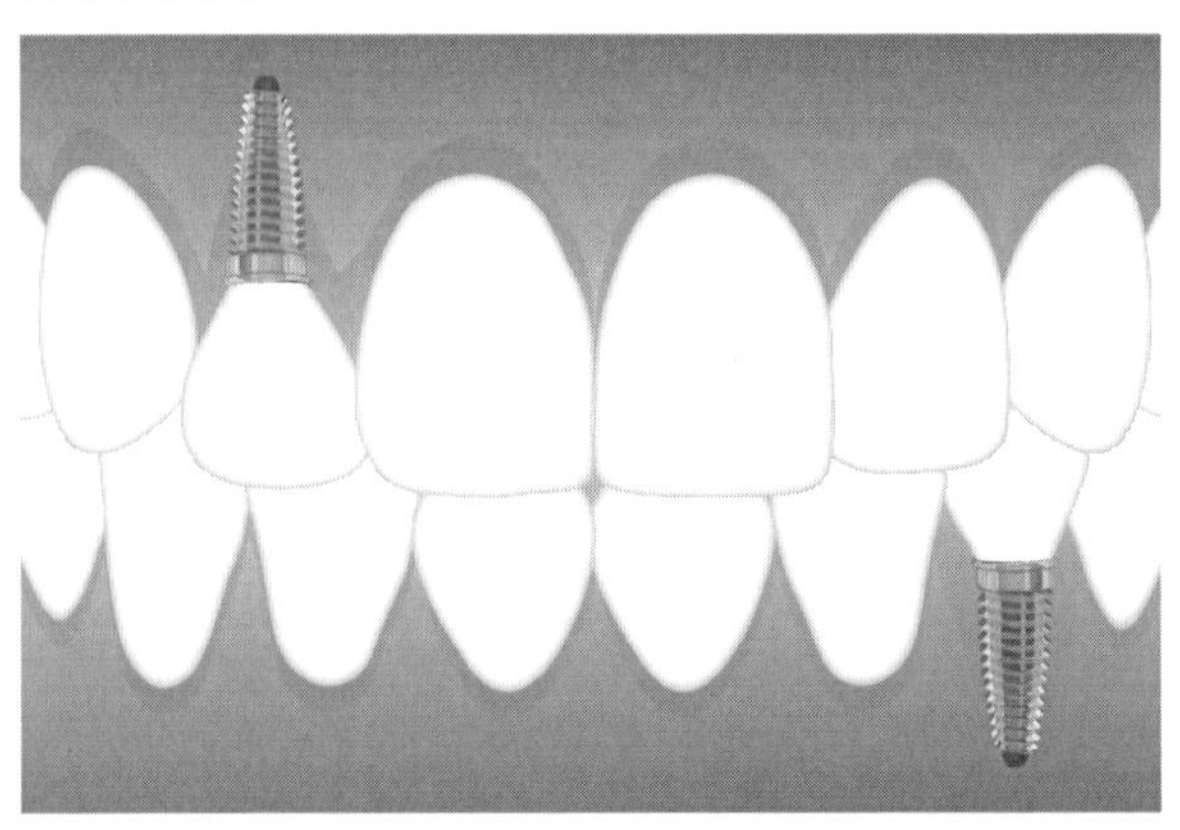

義眼

目の機能を補うものにはメガネ、コンタクトレンズ、眼内レンズなどがありますが、本書では、これらをまとめて義眼と呼ぶことにします。

眼鏡

多くの人が目に障害を持っているのではないでしょうか？　若い人の多くは近視であり、年を取ると老眼で遠視になります。目が悪くなった場合、現在では手術による矯正法もあるようですが、手軽なのはメガネとコンタクトレンズです。

メガネはレンズとそれを支える縁からできています。レンズは、昔はガラス製でしたが、現在はプラスチック製が多くなっています。プラスチックの利点は軽くて割れにくく、しかも製造が容易ということです。

ガラスの比重は約2・5です。それに対してプラスチックレンズの主体はアクリル樹脂ですが、レンズの場合、添加物が入るので、少々重くなって比重は約1・3ですが、それでもガラスレンズの約1/2です。また、屈折率もほぼガラス並みになっていますので、特殊なものを除けば、厚さもガラス程度になっています。

プラスチックレンズは柔らかいので、傷が付くのを防ぐため、表面に固い物質をコーティングします。しかし、これとレンズの熱膨張率が異なるため、温度変化の激しい環境で用いると、コーティング剤が剥離することがあるのは、今後の改良点でしょう。

メガネの縁は主にチタンなどの金属でできていますが、最近はここにもプラスチックが進出しています。プラスチックは軽いですし、最近多くなった金属アレルギーを防ぐことができます。

デザインの面からも成形が容易でカラフルなプラスチックが喜ばれているようです。その上、価格も低く設定できます。最近はさらに、形状記憶樹脂が用いられています。弾性が高く、しなやかで装着感がよいといいます。

コンタクトレンズ

視力の矯正用には最近、メガネよりもコンタクトレンズが使われる確率が高くなりました。それと同時に、コンタクトレンズによる目の損傷も増えてきているようです。コンタクトレンズは角膜の上に直接レンズを乗せ、視力を矯正するものです。コンタクトレンズの性能としては、視力の矯正が最も重要ですが、その他に装着感が自然なことも大切であり、さらに目の健康を考えると適当な含水力があり、酸素透過性があることが必要になります。

初期の頃のコンタクトレンズの素材はガラスであり、固いハードコンタクトレンズでしたが、現在はプラスチックによるソフトコンタクトレンズが主体です。コンタクトレンズの素材のプラスチックは、初期の頃はメタクリル酸メチルを用いたアクリル樹脂でしたが、これはハードタイプしか作ることができません。その後改良が進み、現在ではメタクリル酸ヒドロキシエチル、N-ビニルピロリドンの二種の単位分子をさまざまな比率、さまざまな順序でつないで高分子化させたものがよい成績を上げているといいます。

このようなプラスチックレンズは軟らかく、含水性ですので装着感は良好ですし、水を通じて酸素透過もできます。しかし含水率が高いとタンパク質や細菌が入り込む確率も高くなります。そこでケイ素樹脂を用いたシリコーンハイドロゲルで作ったコンタクトレンズが開発され、よい成績を上げています。

眼内レンズ

眼内レンズとは白内障などで濁って不透明になった水晶体を取り除き、代わりに挿入する人工レンズのことをいいます。

眼内レンズがまだなかった頃、白内障の手術は濁った水晶体を取り除くだけのものでした。しかし、その方法による手術後は強度の遠視となってしまい、患者は分厚い眼鏡をかけざるを得ませんでした。

その後、人工水晶体である眼内レンズが誕生し、手術後の患者さんの生活は快適なものになりました。眼内レンズは進化を続けています。眼内レンズには、いくつかの種類があり、それぞれの特徴や構造にも違いがあります。

眼内レンズは、丸いレンズ本体と、眼の中にレンズを固定するための2本の支持部で構成されています。レンズの直径は約6㎜、支持部を含めた全長は約13㎜です。ほとんどのレンズが、柔らかいアクリル樹脂でできています。柔らかい素材を使うことで、レンズを折りたたんだ状態で眼の中に挿入することができます。そのためレンズを折りたたむことで切開創が小さいもので済むため、傷の治りが早くなり、手術後の乱視を軽減する効果が期待できます。

●眼内レンズ

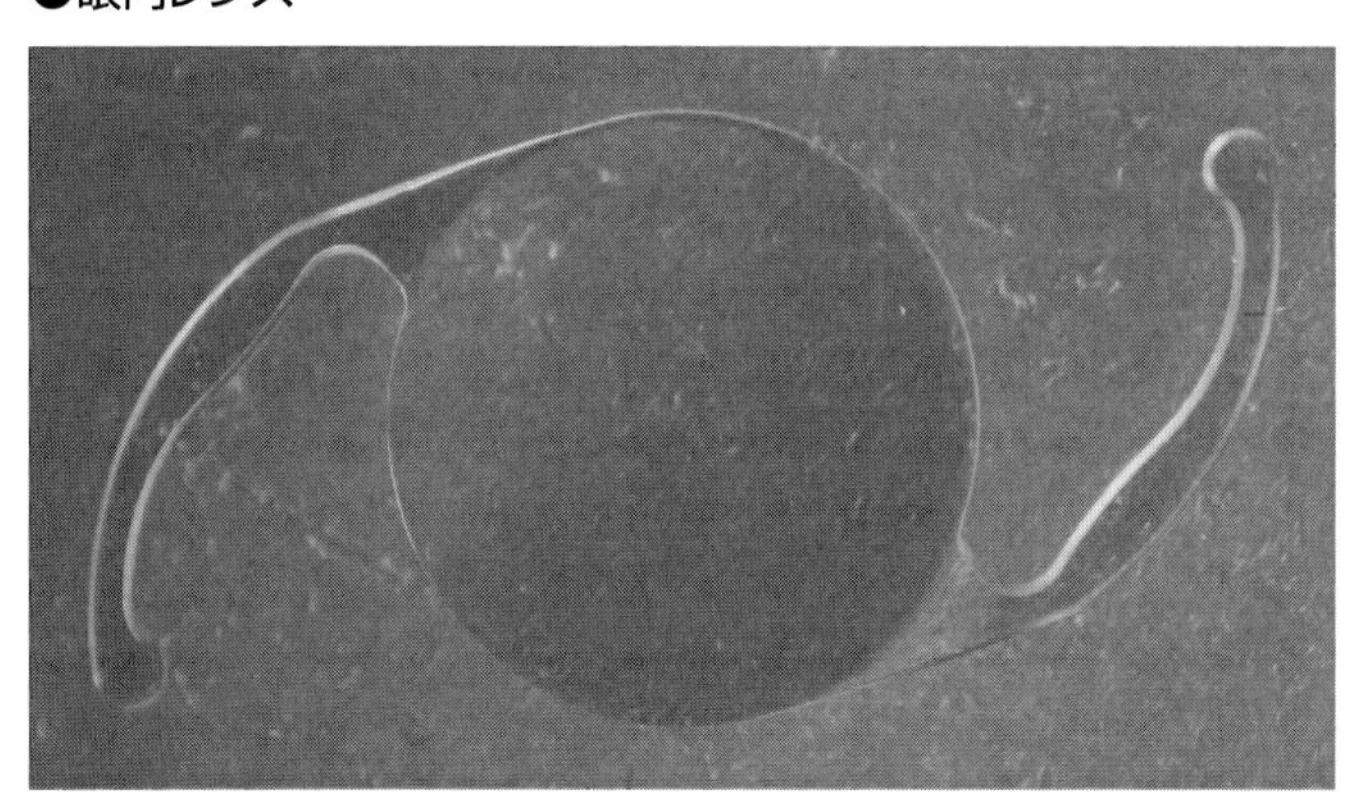

補聴器

補聴器とは、内蔵されているマイクロホンが拾った音を大きくして出力することで難聴患者の聴力を補う医療機器です。

過去には、マイクロホンの音をそのまま大きくするのみの「アナログ補聴器」が使用されていました。しかし現在では、内蔵されているプロセッサが拾った音を分析し、雑音の軽減や周波数ごとに音声の増幅などを細かく行うことで、より会話を聞き取りやすくする仕組みの「デジタル補聴器」が主流となっています。

①補聴器の種類

補聴器は大きく分けると、「気導補聴器」と「骨伝導補聴器」の2つのタイプがあります。気導補聴器は、内蔵のマイクロホンが音を拾って大きくし、イヤホンを介して外耳道から伝える補聴器のことです。耳にかけるタイプ（耳かけ型）、耳の中に入れるタイプ（耳穴型）、ポケットに入れて使用するタイプ（ポケット型）などさまざまなタイプがあります。しかし、これらのタイプは耳穴をふさぐため音がこもりやすいという欠点があり、こもり感が気になる場合は耳穴を完全にはふさがないオープン型の補聴器も販売されています。

一方、骨伝導補聴器は、頭蓋骨を振動させることで音の信号を耳の奥の内耳から脳へ伝える補聴器です。以前はメガネの柄の部分に振動する部品をつけて頭蓋骨を振動させるものが主流でしたが、現在では耳かけタイプのものも販売されています。

中耳炎や耳硬化症など、鼓膜や鼓膜の振動の信号を内耳に伝える耳小骨などの異常によって引き起こされる伝音難聴や片側性の難聴の方に使用されています。

●骨伝導タイプ

人工皮膚・人工血管

大きなヤケドなどで、体の大きな面積の皮膚に損傷を受けることがあります。このような場合の治療法は、体の他の部分から皮膚をはがして患部に移植する皮膚移植以外にありません。

しかし、そのために皮膚をはがされた部分は、いずれは新しい皮膚が再生されるにしても、新たな傷を人為的に作ることであることは間違いありません。人工的な皮膚があればそれに越したことはありません。そのために作るのが人工皮膚です。

コラーゲン皮膚

人工皮膚の研究は進んでおり、最先端を行く米国では単に皮膚だけでなく、体毛が生える皮膚の研究も行われているそうです。人工皮膚は、人工とはいうものの、人工物と天然物のコラボレーションです。あるいは、天然物のセルロースを人工的にニトロ化したセロハンのように、天然物の再構築品といったほうがよいかもしれません。

使用する天然物は、体の結合組織を構成するタンパク質であるコラーゲンです。コラーゲンの構造は、3本のタンパク質繊維が3つ編み状態になったものです。コラーゲンの3つ編み部分は、ただのタンパク質ですが、両端のテロペプチドといわれる部分が免疫反応を引き起こします。つまり、この部分が残っていると治療の妨げになる拒否反応が起こります。そこで、酵素を用いてこの部分を切り離し、中央部分だけを集めたアテロコラーゲンとします。

患者の皮膚から真皮部分を取り出し、これを酵素で分解して繊維芽細胞を取り出します。これをアテロコ

●アテロコラーゲン

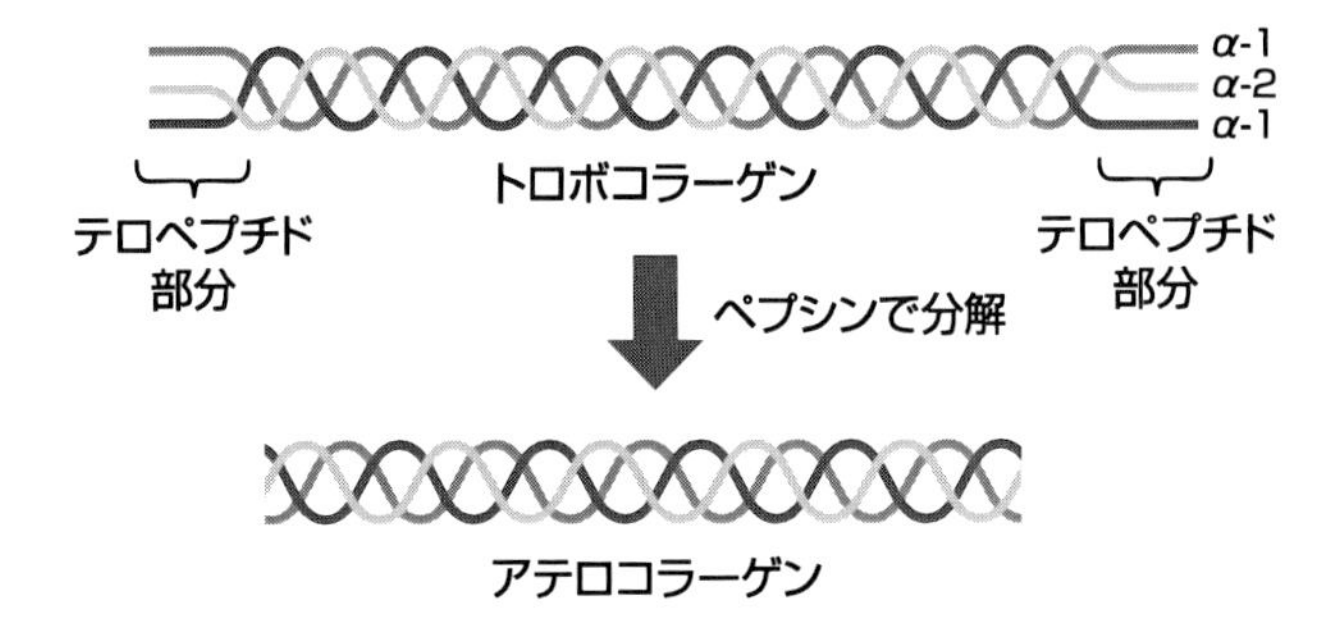

ラーゲンの溶液に加えると、アテロコラーゲンが繊維芽細胞を核にして固まり、ゼリー状になります。このまま培養を続けると繊維芽細胞が増殖し、全体が真皮に近い状態になります。ここに患者の皮膚の表皮部分を細胞に分化したものを撒きます。すると先のゼリー状部分の上に表皮細胞が増殖し、表皮と真皮からなる皮膚ができあがるという仕組みです。このような、自然とのコラボレーションは今後の科学の進む道の1つとなるでしょう。

培養皮膚

培養とは養分を満たした培地に細菌を入れ、増殖させることをいいます。まったく同じ手法で細胞を増殖させることもでき、これを特に細胞培養といい

●コラーゲン皮膚

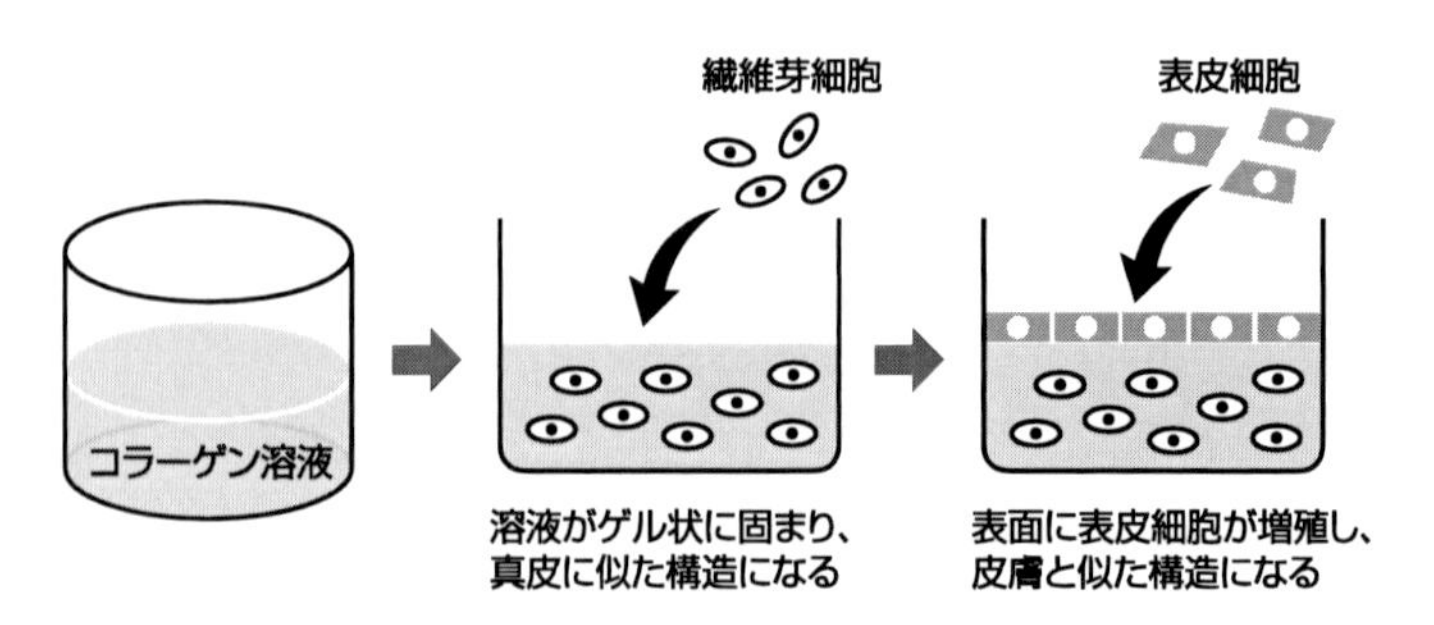

ます。培養皮膚というのは、細胞培養の手法で造った皮膚のことをいいます。日本では、大学病院などの医療機関やバイオベンチャー企業を中心に、培養表皮や培養真皮、自家複合型培養皮膚の開発・臨床応用が行われています。

人工血管

人工皮膚を丸めて管にすれば人工血管が完成となりそうですが、血管の問題は血液の性質にあります。つまり、血液は異物に触れると固まって血栓ができるということです。人工血管でできた血栓が血流に乗って脳に行き、脳の血管を詰まらせたら脳血栓になってしまいます。そのため、血栓を作らせない工夫が最大の問題となります。

人工血管には多くの種類がありますが、その1つに、自分の組織を利用するものがあります。組織に馴染みやすい合成繊維で作ったチューブに心棒を入れた状態で患者の体内に埋め込みます。すると患者の体組織が繊維の中に入り込んで増殖します。この状態でチューブを取り出し、心棒を抜いた後に血管として用いるのです。人工血管の表面は体組織で覆われているので、血栓はできないといわれています。

人工骨・人工関節

怪我や病気によって骨や関節に被害を受けた場合、最終的には害を受けた部位を人工品で交換することになります。このような場合、以前は金属製品が用いられましたが、現在ではセラミックスが用いられています。

人工骨補填材料

事故や病気で失った骨を補填する材料です。

①使用後も体内に残るもの（焼結アパタイト、アルミナ、ジルコニア等）

私たちの骨の無機質主成分は水酸化アパタイトというリン酸カルシウム系化合物です。この物質を化学合成し、人工骨として使用するものです。この人工骨は組成が生体の骨と同じであるため、骨組織と直接結合するという特徴を持っています。

② 人の骨と自然に置き換わるもの

高純度β-リン酸三カルシウム原料の粉末に界面活性剤および気泡安定剤を加えて焼成します。製造した多孔体は、連通する100〜400μmのマクロ気孔およびミクロ気孔を持つことが特徴です。

自分の骨に比べ、マクロな気孔を持つため血流もよく、通常血流が悪いとされる大きな骨欠損部への適応も可能であり、今後大きな可能性が広がるものと期待されています。

③ 人工関節

関節は骨でできています。骨が骨折するように、関節も壊れます。しかし壊れても、いろいろの材質で人工の関節を作って、元のように治すことができます。人工関節は、現在広く受け入れられています。しかし、人工材料の耐久性は永遠ではありません。関節は荷重を支える、運動を可能にするというわば相反する2つの大きな機能を担っています。

人工関節では、荷重・運動により擦り減ることが耐久性の限界を決定する因子となります。したがって、擦れても容易に擦り減らない材料が求められます。従来、金属と樹脂の組み合わせであった人工関節に対し、現在はセラミックスの低摩耗性を活かした、アルミナと樹脂の組み合わせの人工関節が実用化され、摩耗の低減に貢献しています。下肢の人工関節の耐久性は約15～20年といわれていますが、必要に応じて、再度入れかえることができます。

●人工関節

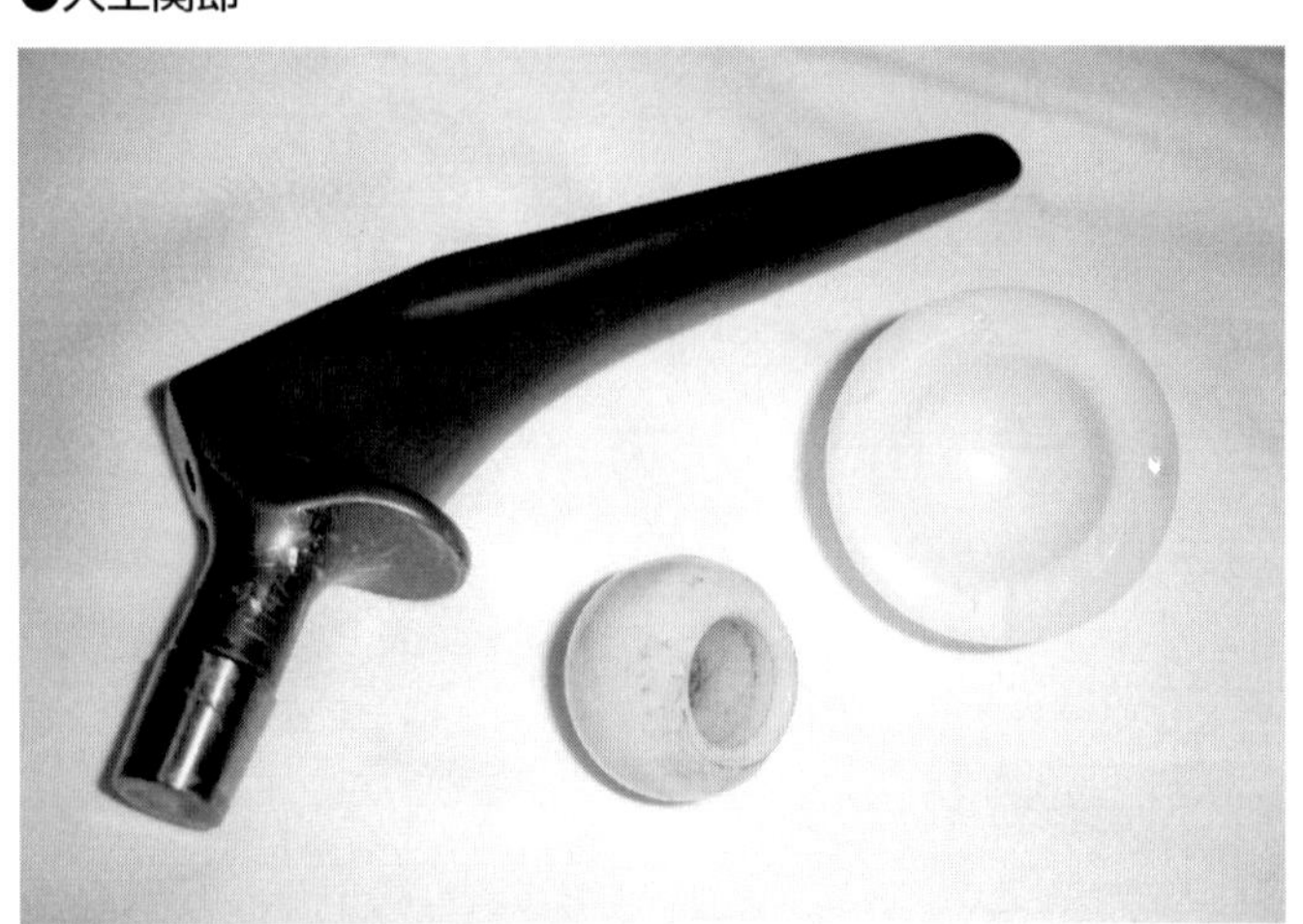

SECTION 20

人工呼吸器

ドラマなどで重篤な患者さんの口下へマスクをあてたり、喉まで管を入れて患者さんの代わりに呼吸を行う機械が出ることがありますが、あれが人工呼吸器です。

呼吸運動の仕組み

私たちの体は、体外から酸素を取り込み、体を動かすためのエネルギーを作り出し、細胞活動によって産生された二酸化炭素を体外に排出しています。その回数は、成人で15~17回/分、新生児で40~50回/分とされています。

呼吸のことを「肺を膨らませる」と表現することがありますが、私たちの肺は自分自身を膨らませることはできません。どうやって膨らませているのかというと、肺が収まっている胸郭を広げることによって肺を膨らませているのです。

横隔膜が下に下がることによって、胸郭内の容量が増え、それにより内圧が下がるため体外から空気が肺へ入ってきます(吸気)。この状態から、横隔膜が元の位置に戻ることで内圧も上がり、肺の中の空気が押し出されます(呼気)。これが呼吸運動の仕組みです。

呼吸不全

呼吸不全とは、何らかの原因で血液に酸素が取り込めていない状態のことをいいます。具体的にはPaO_2(動脈血酸素分圧：動脈の血液に酸素がどのくらい含まれているか示している)が60㎜Hg以下の状態とされています。この条件と合わせて$PaCO_2$(動脈血二酸化炭素分圧：動脈の血液に二酸化炭素がどのくらい含まれているか示している)の値が正常値か異常値かで次の呼び方になります。

- 1型呼吸不全…… PaO_2が異常値、かつ$PaCO_2$が正常値(35～45㎜Hg)
- 2型呼吸不全…… PaO_2が異常値、かつ$PaCO_2$が異常値(60㎜Hg以上)
- 慢性呼吸不全……PaO_2が60㎜Hg以下の状態が1カ月以上続いている状態

人工呼吸器

人工呼吸器は、呼吸不全の患者へ使用されます。人工呼吸器を使用する目的は、ガス交換を改善することと、呼吸に必要な仕事量を減らすことにあります。人工呼吸器には大きく分けて、胸郭外陰圧式と気道内陽圧式の2種類があり、現在、主流なのは気道内陽圧式です。

これは、文字通り、人工呼吸器から患者さんの口元に陽圧（1気圧より高い圧力）のガスを送り、この圧力によって肺を膨らませる方法です。しかし、胸郭が広がっていないのに口からガスを押し込むことになるため、肺損傷や横隔膜の筋力低下などのリスクがあります。したがって、人工呼吸器を使用する時間は、必要最小限にとどめる必要があります。

人工腎臓

腎臓の機能は体内の老廃物を血管から濾しとり、尿として体外に排泄することです。この機能がうまくいかないと、患者は尿毒症となって命を落とします。そのため、腎臓の機能を失った患者は、定期的に週に2回ほど、1回4〜5時間の人工透析を受け、血液中の老廃物を取り除く必要があります。

人工腎臓の原理

人工透析の原理は、簡単にいえば「ふるい(篩)」です。血液をふるいにかけて、血球より小さな老廃物だけをふるい分けて除くのです。ふるいの役目をするのは半透膜です。半透膜は、小さな穴の開いた膜であり、水のような小さな分子は通過させますが、血球や大きな分子は通しません。セロハンや細胞膜は典型的な半透膜です。

人工透析では、血液を透析液に漬けた半透膜製の細いチューブに流します。すると、血液中の老廃物のような小さな分子は半透膜の孔を通して透析液に中に染み出して除かれます。

チューブの素材はセロハンの他、アクリル樹脂、ポリプロピレンなどのプラスチックが用いられます。チューブの直径は200~300μ、厚さは20μ、孔の直径は0・002~0・01μほどに調整されています。

携帯型人工腎臓

日本では現在約30万人の方が、血液透

●人工透析

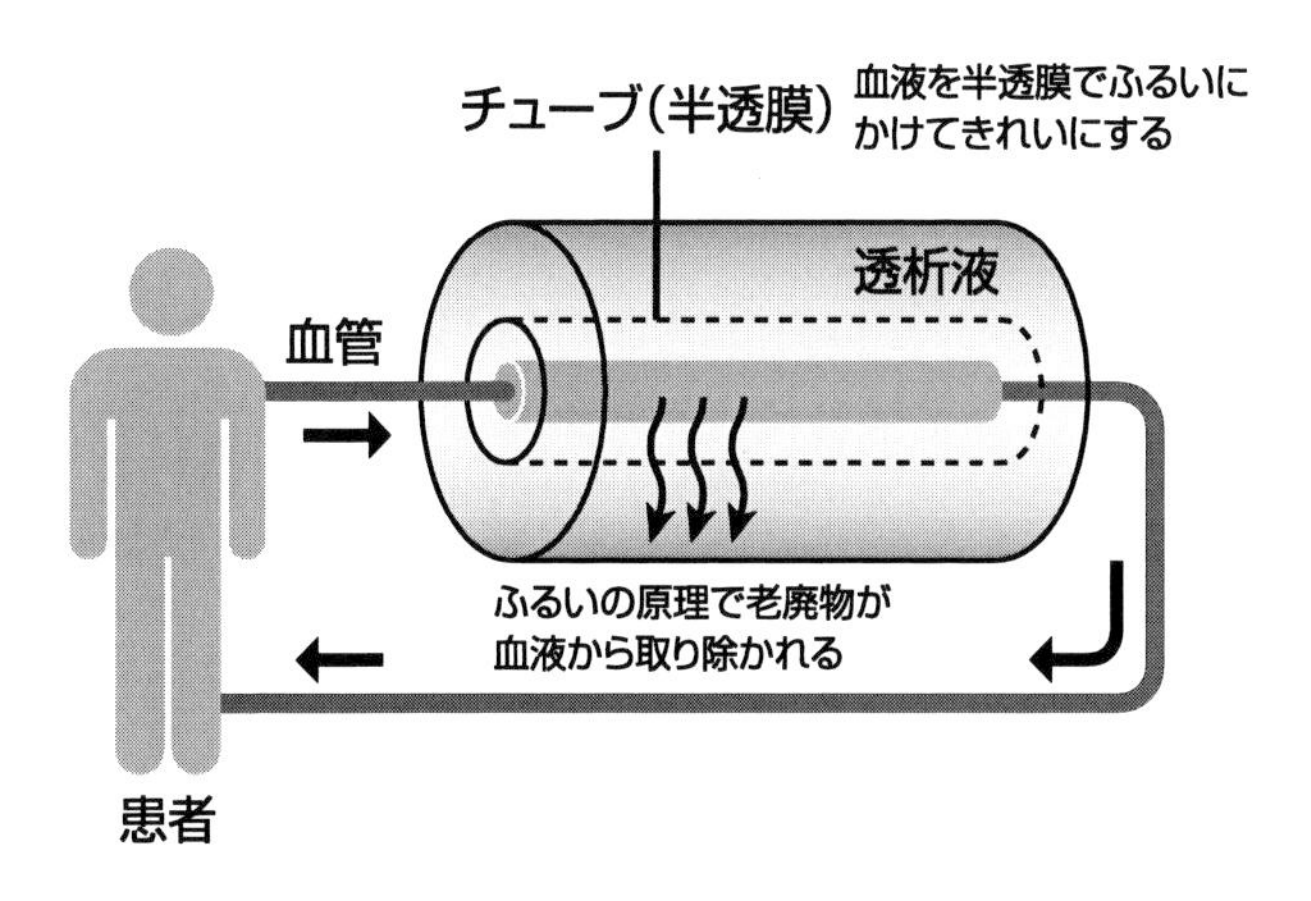

析治療を受けています。透析技術は大きく発展し、患者さんの状態を維持できるようになりましたが、かなりの時間透析機に縛り付けられます。そこで期待されるのが、埋め込み型の人工腎臓と呼ばれる方法で、現在さまざまなタイプの埋め込み型人工腎臓の開発が待たれています。

携帯型あるいは埋め込み型では、透析のように多量に水を使うことは不可能なため、基本的には血中の尿素を直接吸着剤で吸収する方法が考えられます。そのため、最も重要なのは、尿素を直接吸着する化学物質の開発で、企業、アカデミアともに新しい吸着物質を目指して競争を繰り広げています。

埋め込み型人工腎臓

最近、血圧で作動する体内埋め込み型人工腎臓のプロトタイプを開発し、動物に移植して機能することを確認したとのニュースが流れました。

この人工腎臓は、血液中の老廃物を除去するシリコン製ヘモフィルター（血液ろ過器）と、血中電解質のバランス調整など、ろ過以外の腎臓機能を再現するために腎臓細胞を搭載した装置の2つのユニットから構成されています。

装置の大きさはスマートフォンくらいのサイズで、外部電力やポンプが必要なく血圧だけで作動します。また、装置は免疫反応を誘発せずにヒト腎臓細胞の培養を持続的にサポートする設計となっているため、重篤な副作用の可能性がある免疫抑制剤を服用する必要がないといいます。

人工血液

病気、事故が増えて輸血の必要性は増えています。しかし、献血の希望は必ずしも充分ではないようです。血液は冷蔵保存しても42日程度しか持ちません。いっそ、人工血液を作ったらどうなのかという声は昔からあるのですが、技術的にそれに応えるのはまだ難しいようです。

本物の血液は、傷口を塞いだり、細菌と戦ったりするなど、多くの働きをする細胞からできています。けれど、私たちが血液を必要とする最大の理由は、酸素の輸送のためです。

代替血液の条件

代替血液が満たさなければならない条件はいくつかあります。

・酸素を運び、細胞の中に届けることができなくてはならない
・各種温度の下で、ダメージを受けずに数週間存在し続けなければならない
・簡単に大量生産できるものでなくてはならない
・血液由来の病気を広めたり、危険な免疫反応を引き起こすようなことがあってはならない

候補血液

ここ数十年で、この中のいくつかの基準を満たす代替血液を作るアプローチ方法が見つかりました。

①パーフルオロカーボン(ＰＦＣ)

そのうちの1つは、パーフルオロカーボンと呼ばれる合成化学物質です。これは炭素とフッ素原子からできた分子であり、化学反応は起こしません。ＰＦＣは酸素や二酸化炭素のようなガスと結びつき、赤血球細胞が行うようにそれらを運んでいきます。

でもＰＦＣは疎水性分子であり、水で満ちた血流とは簡単には混ざりません。ＰＦＣは体には無害ですが、血液の中で乳化した粒が不安定になり、血液を凝固させて詰まらせたり、臓器に影響を及ぼしたりする恐れがあるといわれています。

②幹細胞の利用

人工幹細胞を使って培養する方法です。現在いくつかの研究所で研究が始まっていますので、近い将来、成功するかもしれません。しかし、現状の献血不足をすべて解消するのはまだ難しいといわれています。

Chapter. 4
あらゆる素材の代替品プラスチック

プラスチックとは？

今、あなたがいる場所で周りを見渡してみてください。ほぼ必ず顔を出している物質があるのではないでしょうか？　それはプラスチックです。

マンションの一室なら壁や柱、天井はコンクリートにプラスチックフィルムを貼ったものですし、家具や電化製品は合板にプラスチックフィルムを貼ったもの、あるいは無垢のプラスチック製品です。公園なら花壇の柵はプラスチック製であり、植物を結わえる紐の多くもビニール製です。道路を走る自動車の部品の多くもプラスチックであり、皆さんの着ている衣服も合成繊維が用いられています。

このように私たちはプラスチックに囲まれて毎日を過ごしています。プラスチックに触れないで一日を過ごすなんてことは現代では夢なのではないでしょうか？

プラスチックと高分子

私たちは一般に「プラスチック」といいますが、科学的には「高分子」といいます。プラスチックは日本語では「合成樹脂」といい、「樹脂のニセモノ」という位置づけなので、私たちは潜在的に「プラスチックも何かのニセモノ」と思い、その余波で「高分子も何かのニセモノ」と思いがちです。それでは高分子は何のニセモノなのでしょうか？

高分子はあまりに多くの素材に似ています。衣服の素材の繊維に似ています。メガネのプラスチックレンズはガラスに似ています。伝導性高分子は金属に似ています。合成ゴムは今やゴムそのものです。防弾チョッキを作るプラスチックは金属よりも金属らしいです。

高分子（プラスチック）は今や、何かの代替品では済まないものに成長しているのではないでしょうか？　世界史は、その時代の人類が使った素材によって石器時代、青銅器時代、鉄器時代に分けられます。現代は、まだ鉄器時代の真っただ中なのだそうです。

果たしてそうでしょうか？　私たちの生活で鉄を目にすることがあるでしょうか？

日常生活で目にする鉄は包丁と、食器のナイフ、スプーンくらいではないでしょうか？　確かにマンション建築の中心には鉄筋が入っており、港に浮かぶ船の多くは鋼鉄製ですが、私たちが鉄筋を目にすることはありませんし、鋼鉄製の船に乗ることもほとんどありません。毎日目にし、手に触れるものはプラスチック製品が主なものです。してみたら現代は「高分子時代」あるいは高分子を作る炭素にしたがって「炭素時代」とでもいった方がよいのではないでしょうか？

高分子とは

すべての物質は90種ほどの原子からできています。原子は互いに結合して無数種類の分子という構造体を作ります。分子は集まって物質となり、日常目にするさまざまな物体を作ります。その通りなのですが、19世紀末に、分子と物体の間にもうワンクッションあることがわかりました。

分子は何種類か、何個かの単位分子が集まってより高次の構造体を作っていたのです。これを高分子と呼ぶことにしました。この高分子の構造に関して20世紀初頭に学会で「1人 対 その他大勢」という、およそ勝負にならないような大論争が起きました。それは、高分子を作る単位分子は互いに強固な結合(共有結合)をしているのか、それとも単に互いに弱い力で引き合っているだけなのか、という問題でした。

「共有結合で結合している」といったのはドイツの化学者シュタウディンガーただ1人でした。しかし、彼は精力的に実験を重ね、遂に「その他大勢」の化学者を納得させました。そのせいで彼は1953年にノーベル賞を受賞し、「高分子の父」と呼ばれています。

●シュタウディンガー(1881〜1965)

SECTION 24

樹脂の代替品

　私たちが樹脂を素材として使うことは多くありません。バイオリンやチェロなどの弦楽器を弾く人は弓に張る馬の尻尾に滑り止めのために松脂を塗ります。野球のピッチャーも同じです。その他には大昔の樹脂が化石になった琥珀が宝石に利用されるくらいではないでしょうか？　ですから、プラスチックを合成樹脂といわれても、あまりピンとこないのですが、なんとなく納得しているのは、言い慣れ、聞き慣れているからではないでしょうか。

　現在ではプラスチックを合成樹脂と呼ぶより、高分子と呼ぶことの方が多いのではないでしょうか？　高分子というのは分子量の大きい分子という意味、つまり大きな分子という意味です。しかし、実は、高分子は単に分子量の大きい図体の大きい分子のことをいうのではありません。高分子は分子量の小さな単位分子が多数個結合してできた分子のことをいうのです。

高分子の構造

高分子には熱可塑性高分子と熱硬化性高分子という2種類があり、その性質は互いに大きく異なります。それだけに、材料、素材として用いる場合にもその用途には大きな違いがあります。

私たちが普通に使うプラスチックの多くは熱可塑性高分子であり、特徴は温めると柔らかくなるというものです。それに対して、プラスチックのお椀や電気のコンセント、鍋の握りなどのように温めても柔らかくならないものを熱硬化性高分子といいます。熱可塑性高分子も熱硬化性高分子も、ともに高分子ですから、小さな単位分子がたくさん結合したものであることに違いはありません。違いはそのつながり方にあります。

① 熱可塑性高分子

熱可塑性高分子の単位分子は基本的に2カ所で結合します。したがって、できあがった高分子は基本的に長いひも状、直線状となります。しかし、反応条件によっては枝分かれが生じることもあります。

熱可塑性高分子の代表ともいうべきポリエチレンには高密度ポリエチレンと低密度ポリエチレンがあります。これは枝分かれ構造の有無によるものです。枝分かれがない場合には高分子鎖は互いにピッタリと寄り集まることができます。そのため、単位体積当たりの分子数が多くなるので密度が高く(0・94以上)なります。それに対して枝分かれがあると枝が邪魔になってピッタリすることができません。そのため、密度も低く(0・94~0・90)なるというわけです。

② 熱硬化性高分子

熱硬化性高分子の単位分子は多くの場合3カ所で結合します。そのため、いたる所で枝分かれが生じ、その結果、分子は網のように二次元に広く広がります。これがまるで手拭いを丸めてボールにしたようになって固体になっているのが熱硬化性高分子です。したがって、熱硬化性高分子の製品は、製品

●高分子の種類

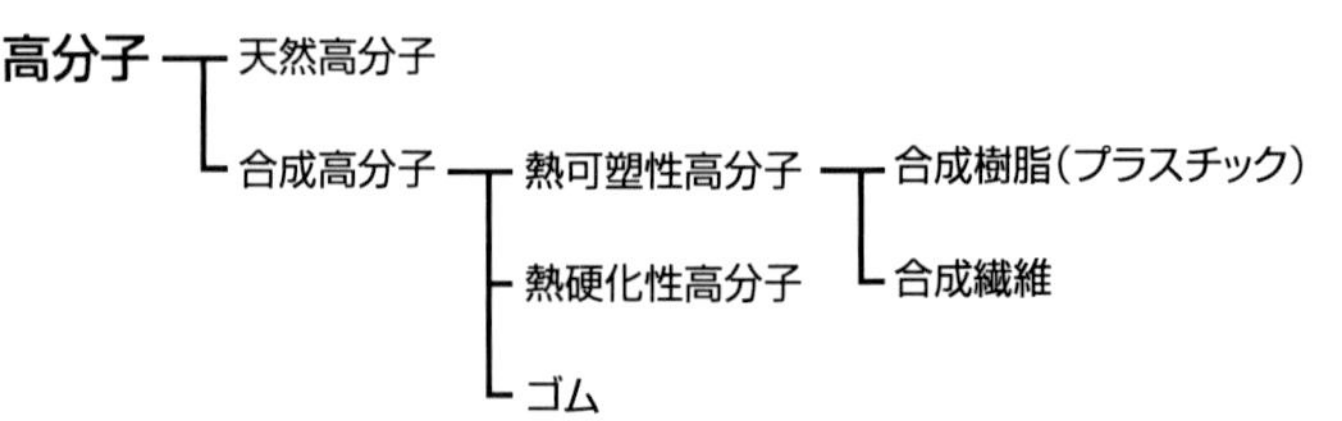

全体が1個の分子といえるような状態になっています。

性質

熱可塑性高分子は糸状の高分子が何本も集まって固体になったものです。そのため、各分子は移動の自由度があり、その自由度は温度の上昇とともに大きくなります。そのため、熱可塑性高分子が高温で軟らかくなる理由となります。

熱可塑性高分子は加熱すると軟らかくなり、冷やせば固まって硬くなります。そのために高分子は容易に成形できます。すなわち、加熱して液体状になった高分子を型に入れて冷やせば成形できるのです。成形しやすいことは高分子の一大長所です。しかし、これはまた一大短所でもあるのです。透明で使い捨てのプラスチックコップに熱いお茶を入れて変形し、危険を感じたことのある人は多いでしょう。それに対して熱硬化性高分子では、分子は移動の自由度はもちろん、振動の自由度さえ制限されることになります。そのため高温になっても柔軟になることがないのです。無理に加熱すると木材のように焦げて黒くなり、さらに加熱すれば燃えてしまいます。

用途

このような高分子にどのような使い道があるのでしょうか？　まずは食器です。熱可塑性樹脂でお椀を作ったらどうなるでしょうか？　味噌汁を入れてゆがむような食器では怖くて使えません。調理用具でもフライパンの柄や蓋のつまみなどは熱硬化性高分子でできています。電気器具のコンセントも熱くなる可能性がありますが、そのたびに軟らかくなったのでは危険でたまりません。テーブルも同じです。熱いスープ皿を置いたからといって変形されたのでは困ります。これらは熱硬化性樹脂でなければならないのです。

また、複合素材のマトリックスとしても活躍します。複合素材というのは鉄筋コンクリートのように、2種類の異なった素材（セメントと鉄筋）を混ぜて、両方のよい所を引き出した素材です。小型船舶の船体、風呂桶、釣竿などに使われるグラスファイバーはガラス繊維を熱硬化性樹脂で固めたものです。最近、航空機ボーイング787で有名になった炭素繊維も炭素繊維という高分子の繊維を布状に織って、それを熱硬化性樹脂に浸して固めたものです。

高分子の成形法

熱硬化性樹脂はできあがると硬くなり、加熱しても軟らかくはなりません。これではプラスチック特有の成形法、すなわち、加熱して型に入れて成形するという簡易成形法は不可能です。熱硬化性樹脂はどのようにして成形し、製品にするのでしょうか？

① 熱可塑性樹脂の成形法

熱可塑性樹脂の成形法には射出成形法とブロー成形法があります。前者は加熱して液体状に溶融した高分子を型に入れて成形するものです。型には雄

●射出成形法

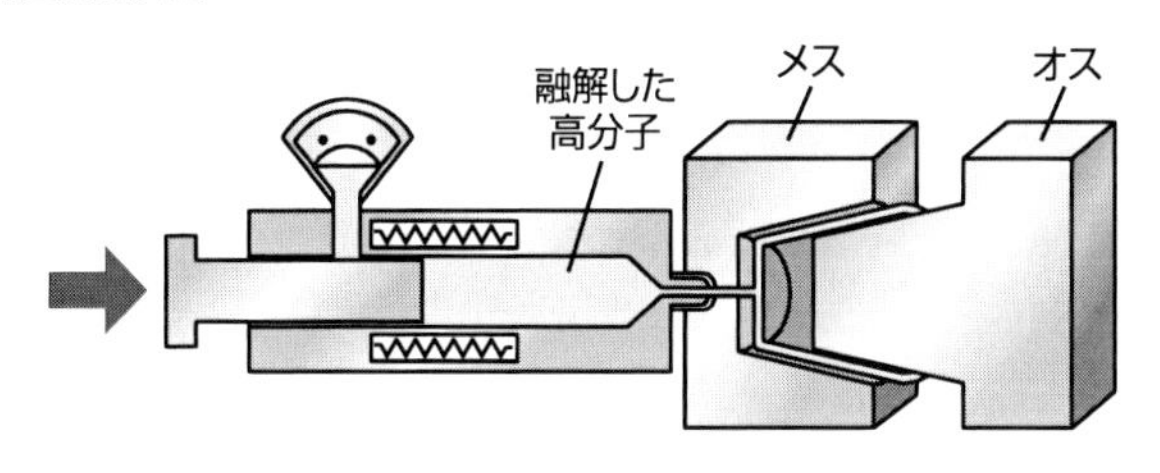

●ブロー成形法

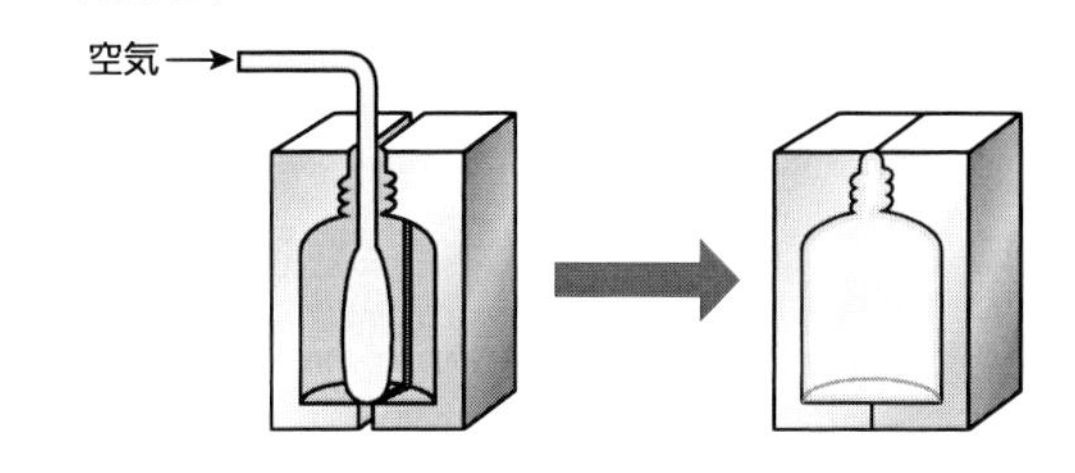

型と雌型が必要であり、正確な形成が可能です。ブロー成形法は雌型の中に風船状の高分子を入れ、中で膨らませて成形するものです。瓶状、あるいは袋状のものを作るには便利な方法ですが、製品の形が甘くなる傾向があります。

②熱硬化性樹脂の成形法

熱硬化性樹脂は完成してしまったら成形はできません。そのため、完成途上の、いわば赤ちゃん状態の高分子を用います。この状態の高分子はまだ分子構造に自由度がありますから、加熱すると軟らかくなります。つまり、型の中にこの赤ちゃん高分子を入れて加熱するのです。すると型の中で高分子化が進行し、最終的に型の通りの熱硬化性樹脂製品ができあがるのです。これは小麦粉を溶かしたものを型に入れて加熱して作るおせんべい作りか人形焼作りを思い出すとよいでしょう。

●熱硬化性樹脂の成形法

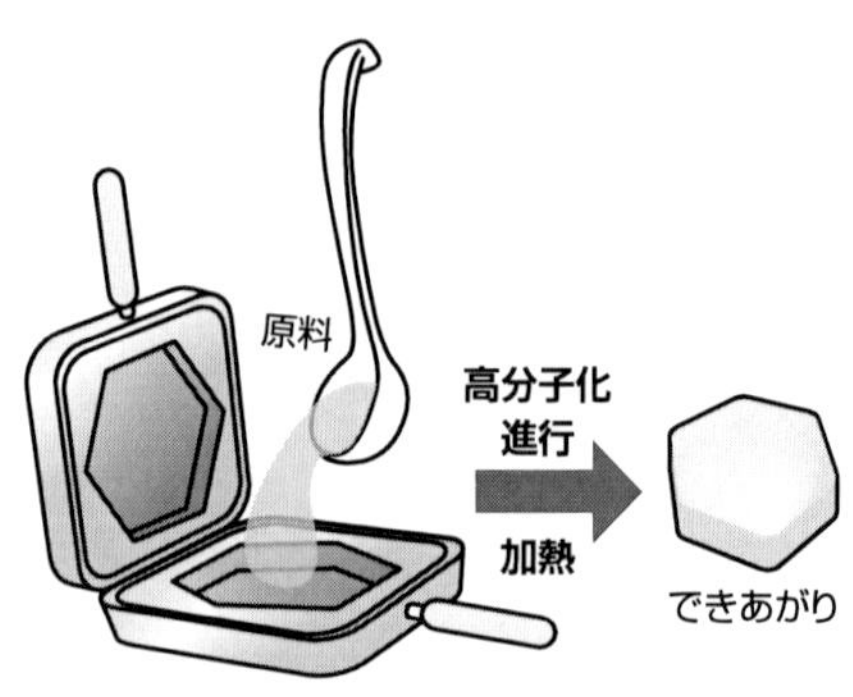

SECTION 25

繊維の代替品

繊維とは細くてしなやかな物質です。繊維には植物から得た植物繊維、動物から得た動物繊維、アスベスト(石綿)のように無機物から得た鉱物繊維、それに人工的に作った合成繊維があります。このうち、合成繊維を除いた天然素材から作った繊維を天然繊維といいます。

合成繊維

天然物から作った天然繊維に対して、人間が化学的に合成した原料で作った繊維を合成繊維といいます。合成繊維の代表はナイロンでしょう。ポリエステルも合成繊維です。その他にもアクリル繊維、ポリエチレン繊維などと種類に事欠きません。

①プラスチックの構造

スカートの裏地などに使うポリエステル繊維のポリエステルとはエステル結合で結合した高分子であり、具体的にはテレフタル酸とエチレングリコールが結合したポリエチレンテレフタレート、PET（ペット）のことです。PETはペットボトルで有名なプラスチックの原料です。ポリエチレンはいうまでもなくプラスチックの原料です。このように合成繊維の原料はプラスチックの原料と同じなのです。

②プラスチックと合成繊維の違い

プラスチック（合成樹脂）と合成繊維の違いは原料（分子構造）にあるのではありません。原料は両方ともまったく同じものです。違いは原料の集合の仕

●結晶性と非晶性

方にあるのです。図はプラスチックにおける高分子鎖の集合状態です。プラスチックの集合状態には2つの部分があります。分子鎖が平行になって寄り集まっている部分と、ほどけて房状になった部分です。前者を結晶性部分、後者を非晶性部分といいます。

結晶性部分は機械的強度も耐熱性も耐薬品性も強くなります。繊維はこのような結晶性の部分だけでできたプラスチックです。それに対して非晶性部分ではこのような強度をもたらす要因は何もありません。そのため、プラスチックは一般に軟らかく、加熱するとさらに軟らかくなって造形性に富むなどの性質を持つことになるのです。

合成繊維の構造と作り方

それではこのように結晶性の高い繊維構造はどのようにして作られるのでしょう?

それには高熱で融けた液体状高分子に圧力を掛けて細いノズルから押し出します。しかし、これだけではまだ結晶性にすることはできません。このようにして押し出された紐状物質の端をドラムにセットし、ドラムを高速で回転させて紐状物質を巻き取ります。この操作で高分子鎖は引き伸ばされ、束ねられてしまうのです。

金属の代替品

プラスチックの種類はたくさんあり、それだけに分類の仕方もいろいろあります。その中の1つに、用途範囲に基づく分類があります。何にでも使える「汎用プラスチック」と工業用に使われる「工業用プラスチック（エンジニアリングプラスチック：エンプラ）」です。エンプラは工業用に使われるもので、一番の特色は耐熱性が高いというものです。一般に汎用樹脂の耐熱性は100℃前後ですが、エンプラになると150℃程度まで上がります。エンプラよりさらに高性能なプラスチックをスーパーエンプラ（耐熱性250℃程度）、そして、エンプラとスーパー

●プラスチックの種類

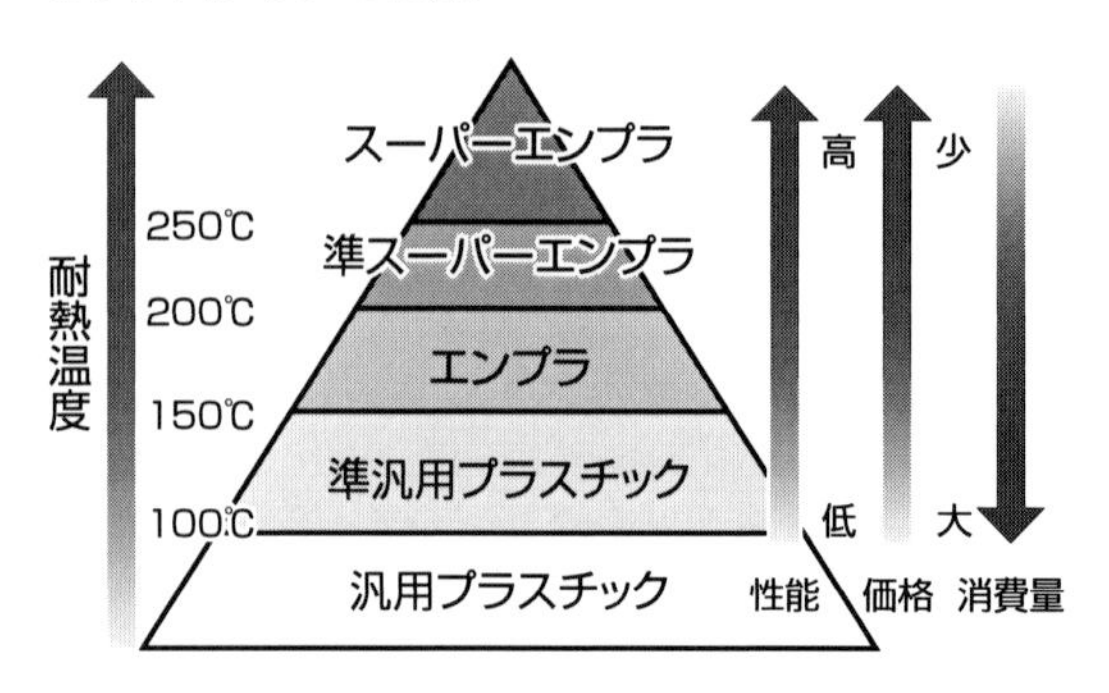

エンプラの中間に来るものを準スーパーエンプラ（耐熱性200℃程度）として区別することもあります。スーパーエンプラのポリイミドは炎にさらしても、ドライアイス温度（マイナス80℃）で冷やしても変質しません。

エンプラは分子の主鎖に炭素以外の原子を含んでいることが特徴です。さらに、ベンゼン環を含んでいるものもあり、スーパーエンプラになると、すべてのものがベンゼン環を含んでいます。エンプラ類は、航空宇宙産業はもとより、あらゆるハイテク産業の基盤を支える構造材です。まさしく金属に代わるプラスチックということができるでしょう。

① ポリアミド

ポリアミドは単位分子がアミド結合（CONH）で結合したものであり、代表的なものにナイロンがあります。ナイロンは靴下、漁網、ロープなどとして盛んに用いられています。ケブラーは分子構造にベンゼン環を多く持つため分子が剛直で直鎖状の骨格を持ちます。その結果、機械的強度、耐熱性が高くなり、特に強度は鋼鉄の5倍といいます。ケブラーは結晶性のため、有機溶媒に溶けず、溶融もしないので成形が困難なポリマーとして知られています。成形するには濃硫酸に溶解することが必要となります。ケブラーは防弾チョッキやヘルメットに用いられます。

ノーメックスはケブラーとよく似た構造ですが、対称性が悪いため、ケブラーより融点が低くなります。しかしその結果、成形性に優れるという利点があります。

②ポリエステル

ポリエステルは単位分子がエステル結合(COO)で結合したものであり、代表はペット(PET)です。ペットはペットボトルなどのプラスチック製品になると同時に、ポリエステル繊維にもなります。ポリエステル繊維は洋服の裏地、あるいはテトロンの商品名で学生服などに用いられています。

③ポリアセタール

ポリアセタールはホルムアルデヒド$H_2C=O$が重合したものです。ポリアセタールは非晶部分と結晶部分が混在するために、強度、弾性率、耐衝撃性に優れています。しかし、分子中に酸素原子が多く含まれているため燃えやすいという欠点があります。

④ポリカーボネート

ポリカーボネートはエンプラ中ただ一種の透明素材であり、準汎用プラスチックのアクリル樹脂とともに有機ガラスとも呼ばれます。ポリカーボネートは弾力性に富み、衝撃に強いので盗難防止用の強化ガラス、大型水槽などに用いられます。

しかし原料のホスゲン$COCl_2$とビスフェノールAはいずれも毒性と危険性が指摘されています。ホスゲンはナチスがアウシュビッ

●5大エンプラ

名称	原料	構造	性質
ポリアミド	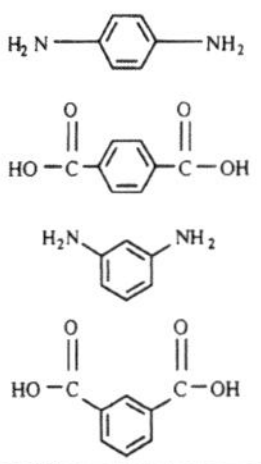 H_2N, NH_2 HO, OH	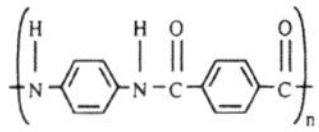 ケブラー	軽量 高強度 耐熱性
	H_2N, NH_2 HO, OH	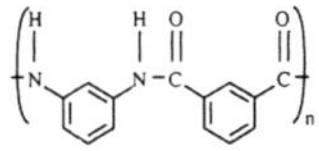 ノーメックス	軽量 高強度 耐熱性 難燃性 成型容易
ポリエステル	$HO(CH_2)_4OH$ 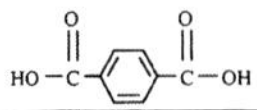 HO, OH	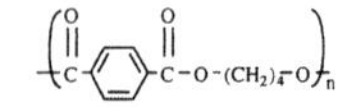 ポリブチレンテレフタレート	熱安定性 電気的特性
ポリアセタール	$H_2C{=}O$	$-(CH_2O)_n-$ ポリオキシメチレン	高強度 耐摩耗性
ポリカーボネート	$COCl_2$ (ホスゲン) 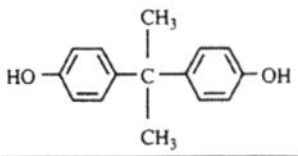 HO, CH_3, CH_3, OH	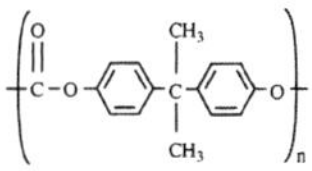 CH_3, CH_3	透明性 耐衝撃性 熱安定性
ポリフェニレンエーテル	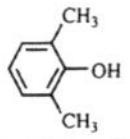 CH_3, OH, CH_3	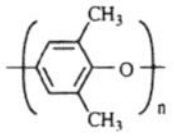 CH_3, CH_3	耐熱性 耐薬品性

ツで用いた毒ガスであり、遅効性で肺浸潤を起こします。またビスフェノールAは環境ホルモンとして指摘された物質です。しかし、製品になってしまえばこれらの原料分子は完全になくなってしまいますから、製品の安全性に問題はありません。

⑤ 変性ポリフェニレンエーテル（変性PPE）

ポリフェニレンエーテル（PPE）は単独で用いられることはほとんどなく、主に耐衝撃性ポリスチレン（HIPS）など他の合成樹脂と混合したプラスチックアロイとして用いられます。そのため、名称に「変性」を加えて区別しています。自動車の外装に用いられる他、吸水性が低いことから水道の配管や給水機などにも利用されます。

準スーパーエンプラの種類

準スーパーエンプラとしては、ポリアリレート、ポリスルホン、ポリエーテルイミド、ポリフェニレンスルフィドが挙げられます。すべての高分子が多くのフェニル基（ベンゼン環）を持っています。このようにベンゼン環を多く持つことによって分子に剛性が与えられ、機械的強度が高くなります。

スーパーエンプラの種類

スーパーエンプラは機械的強度、耐熱性、耐薬品性など、すべての面で優れた性質を持ちます。しかし、先にケブラーの項で見たように、機械的強度、耐熱性が高いということは成形が困難ということを意味します。

この欠点をカバーするのが液晶ポリマーです。液晶ポリマーでは溶融状態の分子が液晶的性質を持つため、すべての分子鎖が同じ方向を向いて平行になるため、分子鎖同志の絡み合いがなくなります。そのため粘度が低く、成型時の流動性が高くなるので成形性に優れることになります。また固化するときの収縮が少ないので薄肉の構造や微細な成型にも対応することができます。

●スーパーエンプラ

名称	構造	特徴
ポリアミドイミド	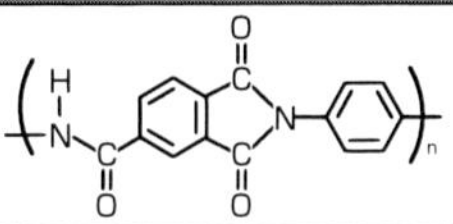	耐熱性 耐放射線性
液晶ポリマー	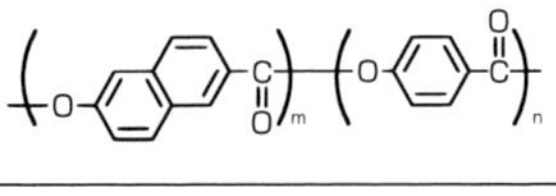	耐熱性 成型性

SECTION 27

ガラスの代替品

高分子は多彩な性質を持っています。その中でも特筆すべき性質は透明性です。各種材料の中で、固体で透明なものは、昔は水晶かガラスしかありませんでした。この状態を根本から変えたのが高分子です。有機ガラスとも称されるほど透明な、いや、ガラスよりもさらに透明なポリメタクリル酸メチルはアクリル樹脂の一般名で私たちの生活の隅々にまで浸透しています。

透明性

物体が透明であるということは、その物体に射しかかった(入射した)光が、物体を通過して反対側から「出た(透過した)」、ということを意味します。この「出た」光が私たちの目に飛び込んでくるのです。しかし、入射光がそのまま透過するためには次の

2つの条件をクリアしなければなりません。

❶入射光が物体によって吸収されて、なくならないこと

❷入射光が物体内で反射されて元の入り口に戻ってしまわないこと

有機分子が可視光線を吸収するのは電子遷移に基づくものです。そのためには、一重結合と二重結合が交互に並んだ共役二重結合の存在することが必須条件であり、しかもその共役二重結合は長いものであることが必要です。

高分子の多くは一重結合でできており、よほど特殊なものでない限り、可視光線を吸収してしまうようなものはありません。したがって、高分子の可視光線に対する透明性は❷にかかっていることになります。

非晶性

水は透明です。これは水分子が可視光線を吸収しないからです。したがって水の結晶である氷も透明です。ところが同じ氷でも、かき氷は不透明です。これは、氷は単結晶であるのに対して、かき氷は結晶のカケラでできた多結晶であるからです。つまり、光は多結晶の表面で乱反射してしまうからです。

高分子も同じです。高分子は本質的には液体と似たアモルファスであり、透明なのです。ところが不透明な高分子があるのは、固体高分子の内部に多結晶が存在するからです。すなわち、結晶性の高分子は乱反射によって不透明になり、非晶性の高分子は液体と同じように透明になるのです。

ポリエチレンでいえば、枝分かれが少なく、束ねられやすい高密度ポリエチレンは結晶性が高いので不透明です。しかし枝分かれが多く、構造が乱雑な低密度ポリエチレンは結晶化しないので透明というわけです。

光屈折性

光の進行速度(光速)は光が進む媒体によって異なります。媒体によって異なる光速の比を屈折率といいます。特に真空中から物体に入社した光の屈折率を絶対屈折率といいます。その結果、空気中を進行する光が物体内に侵入すると、光路の方向が変わることがあります。この現象を屈折といいます。

①屈折率

屈折率は光学レンズの作成にとって重要なもので、屈折率の大きい素材を用いればそれだけ薄いレンズを作ることができ、レンズや光学機器の設計製作に有利になります。ガラスの場合、鉛を入れたクリスタルレンズなどの場合は屈折率1・9と大きなものもあります。高分子の場合には1・5〜1・6程度と、普通のガラスとほぼ同じ程度になっています。屈折率は材料の単位重量当たりの体積、比容によっても変化しますから、熱膨張率や吸水率の大きい材料は使用温度や湿度によって屈折率が変化する可能性があるので注意する必要があります。

●高分子とガラスの屈折率

	PMMA	PC	PS	ガラス
光透過率	92	88	89	90
屈折率	1.49	1.59	1.59	1.5〜1.9
複屈折率	−0.0043	0.106	−0.10	〜0
熱変形温度(℃)	100	140	70〜100	
吸水率	2.0	0.4	0.1	
アイゾット衝撃強さ (kg・f・cm/cm)	2.2〜2.8	80〜100	1.4〜2.8	

PMMA：ポリメタクリル酸メチル　PC：ポリカーボネート　PS：ポリスチレン

② 水族館の水槽

最近の水族館の巨大な水槽には目を見張るものがあります。何メートルもあるような巨大なジンベイザメが悠々と泳いでいます。そのうち、シロナガスクジラの泳ぐ水族館もできるかもしれません。

水族館がこのように大きくなったのは高分子のおかげです。水族館の巨大水槽の「巨大ガラス」を本物のガラスで作ったら、その重みで普通の建物は耐えられないでしょう。もう1つは巨大ガラスの運搬です。あのように大きなガラス板を運搬するのは、大きさ、重さ、両方の点から不可能です。

それに対して有機ガラスの場合には小さく切断して現場で接合して組み立てることが可能なのです。透明プラスチックの接合は接着剤を使った接着ではありません。鉄板の溶接と同じように両方のブロックを溶かしてつなぐ溶着ですから、接合面が見えなくなるのです。

しかし有機ガラスにも欠点はあります。それは軟らかくて傷付きやすいということです。そのため、アザラシやセイウチなど、爪のある海獣の水槽の内側は強化ガラスで作ってあるといいます。

SECTION 28

ゴムの代替品

ゴムは私たちの生活の隅々にまで行き渡っています。ゴムは古くから知られた素材であり、プラスチック、まして高分子などという言葉が誕生する前から私たちの生活に溶け込んでいる素材です。

天然ゴム

ゴムはメープルシロップ、ウルシなどと同じように樹木から得られる天然樹脂の一種です。ゴムの木にナイフで切り傷を付けるとそこから樹液が浸出します。この樹液に固化材を加え、脱水工程に掛けると天然ゴムの固体が得られます。しかし、この固体はゴムというよりはガムのようなものです。

①ゴムとガムの違い

ゴムとガムの違いは、ゴムは伸びても元の長さに戻るが、ガムは伸びないで切れてしまうということです。

つまり、輪ゴムに代表されるゴムは、引っ張れば伸びるが、引っ張る力を離せばゴムは元の長さに戻るという弾性を持っています。それに対して一般のガムは伸ばせば伸びますが、引っ張る力を離したからといって元の長さに戻ることはありません。多くの場合、引っ張れば伸びますが、さらに引っ張ればそのまま伸びて、やがてちぎれてしまいます。すなわち、天然ゴムには弾性がないのです。

②加硫

天然ゴムに弾性を持たせるにはどうすればいいのでしょう?それが「加硫」です。天然ゴムはイソプレンという分子が多量化したものであり、図のような構造をしています。これは規則的な位置に二重結合を持っていますが、分子全体の構造としては直鎖状の構造

●天然ゴムの構造

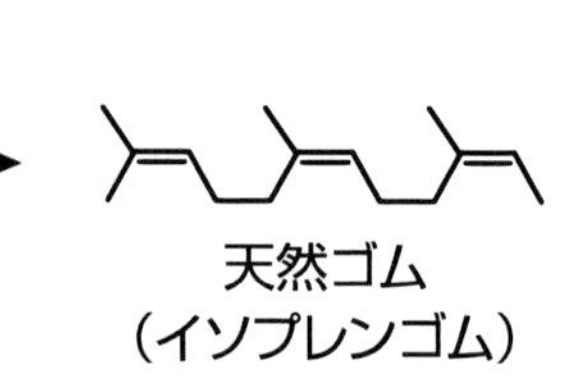

イソプレン

天然ゴム
(イソプレンゴム)

です。普通の状態の天然ゴムではこのような鎖状分子が適当に絡み合ってオマツリ状態になっています。これを引っ張ると鎖状分子が伸ばされますが、さらに引っ張られるとそのまま伸び続け、最後にはちぎれてしまいます。

ここで登場するのが加硫という操作です。加硫というのは硫黄（いおう）Sを加えるということです。硫黄は2価の原子であり、2本の共有結合をつくる能力があります。この硫黄が2本のゴム高分子鎖を結びつけるのです。このような構造を、2本の鎖状分子の間に橋を架けた、という意味で架橋構造といいます。

架橋構造で結ばれたゴム分子たちは、伸ばされても切れることができず、伸ばす力がなくなると元の状態に戻り、結果として弾力性ができるのです。

●加硫

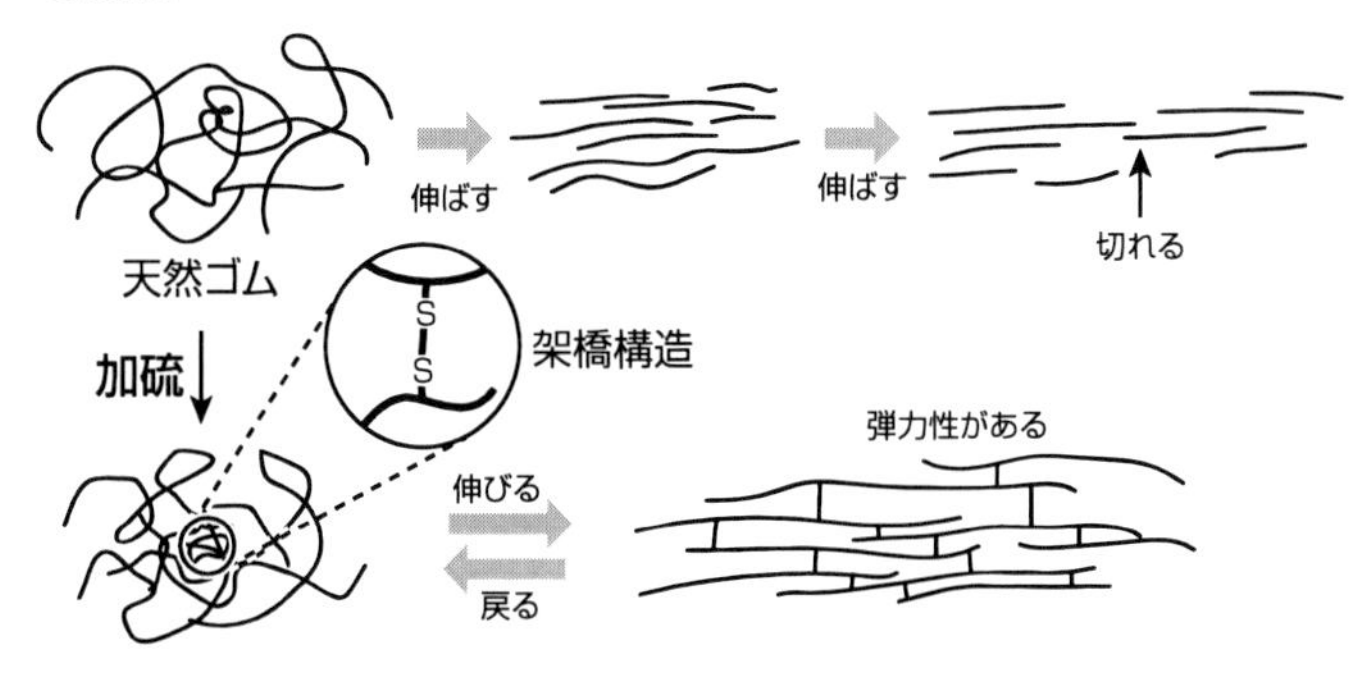

環境浄化材の代替品

プラスチックは環境汚染の原因の1つとされています。最近、そのプラスチックが原因となる新たな環境汚染が問題になっています。それは一辺が5㎜以下の小さなプラスチック片の「マイクロプラスチック」によるものです。

しかし、その一方でプラスチックは環境汚染を浄化する目的でも使われています。環境には自浄作用があり、放って置いても自然に元の状態に復帰する能力がありますが、プラスチックを用いた環境浄化は、自然が行う環境浄化の模倣といえるものかもしれません。

砂漠の緑化

地球温暖化に基づく気候変動がもたらす地球規模の大きな変動の1つに地球砂漠化

があります。現在、地球の砂漠地帯の面積は広がりつつあります。

砂漠化を防ぐ一番の早道は、砂漠に水を注ぎ、植物を増やすことでしょう。そのために活躍しているのが機能性高分子の一種である「高吸水性高分子」です。紙オムツなどでよく知られたこの高分子は自重の1000倍もの水を吸収するということです。紙でも布でも水を吸収しますが、その吸収力は水素結合などに基づく毛細管現象によるものであり、吸収力には限度があります。高吸水性高分子のこの並外れた吸収力はどこから来るのでしょう。図は高吸水性高分子の分子構造の模式図です。特徴は2点あります。

❶網目構造をとっている
❷カルボキシルナトリウム塩-COONa構造がたくさんある

●高吸水性高分子の構造

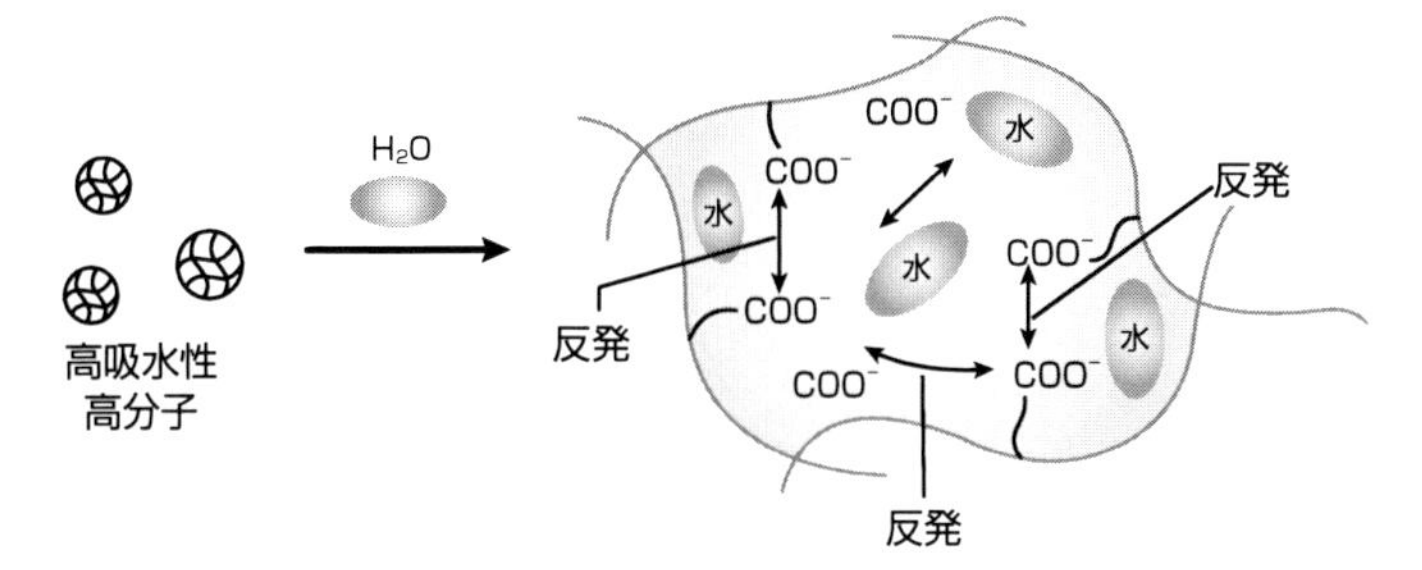

網目構造のおかげで一度吸収された水はしっかりと保持され、抜け出さなくなります。この水分のおかげでCOONa構造が電離し、陰イオンCOO⁻と陽イオンNa⁺に解離します。この結果、高分子鎖に結合しているCOO⁻陰イオン同士の反発によって網目が広がり、さらにたくさんの水を吸収することができるようになるのです。

イオン交換高分子

災害が起きた場合に必要になるのが飲料水です。特に海岸地帯には、海水はたくさんあるのに淡水がないのは残念なところです。ところが、高分子の一種であるイオン交換高分子を用いれば、海水中のナトリウムイオンNa^+を水素イオンH^+に、塩化物イオンCl^-を水酸化物イオンOH^-に変えることができます。つまり、海水中の塩化ナトリウム(食塩)$NaCl$を水H_2Oに変えることができる、要するに海水を淡水に変えることができるのです。

イオンというのは電荷を持った原子、あるいは分子のことをいいます。イオン交換高分子には陽イオン交換高分子と陰イオン交換高分子があります。陽イオン交換高分子は陽イオンを他の陽イオンに交換し、陰イオン交換高分子は陰イオンを他の陰イオンに交換します。

それぞれの構造と機能は図の通りです。すなわち、高分子の主鎖に結合したペンダント(置換基)が機能します。

例えば陽イオン交換高分子にナトリウム陽イオンNa^+が近づくとNa^+は高分子に捕まり、代わりに高分子からH^+が放出されます。つまり、溶液中に存在したNa^+はなくなり、代わりにH^+が現われるのです。

これはNa^+がH^+に交換されたことを意味します。イオン〝交換〟高分子というのはこのような意味です。

●イオン交換高分子

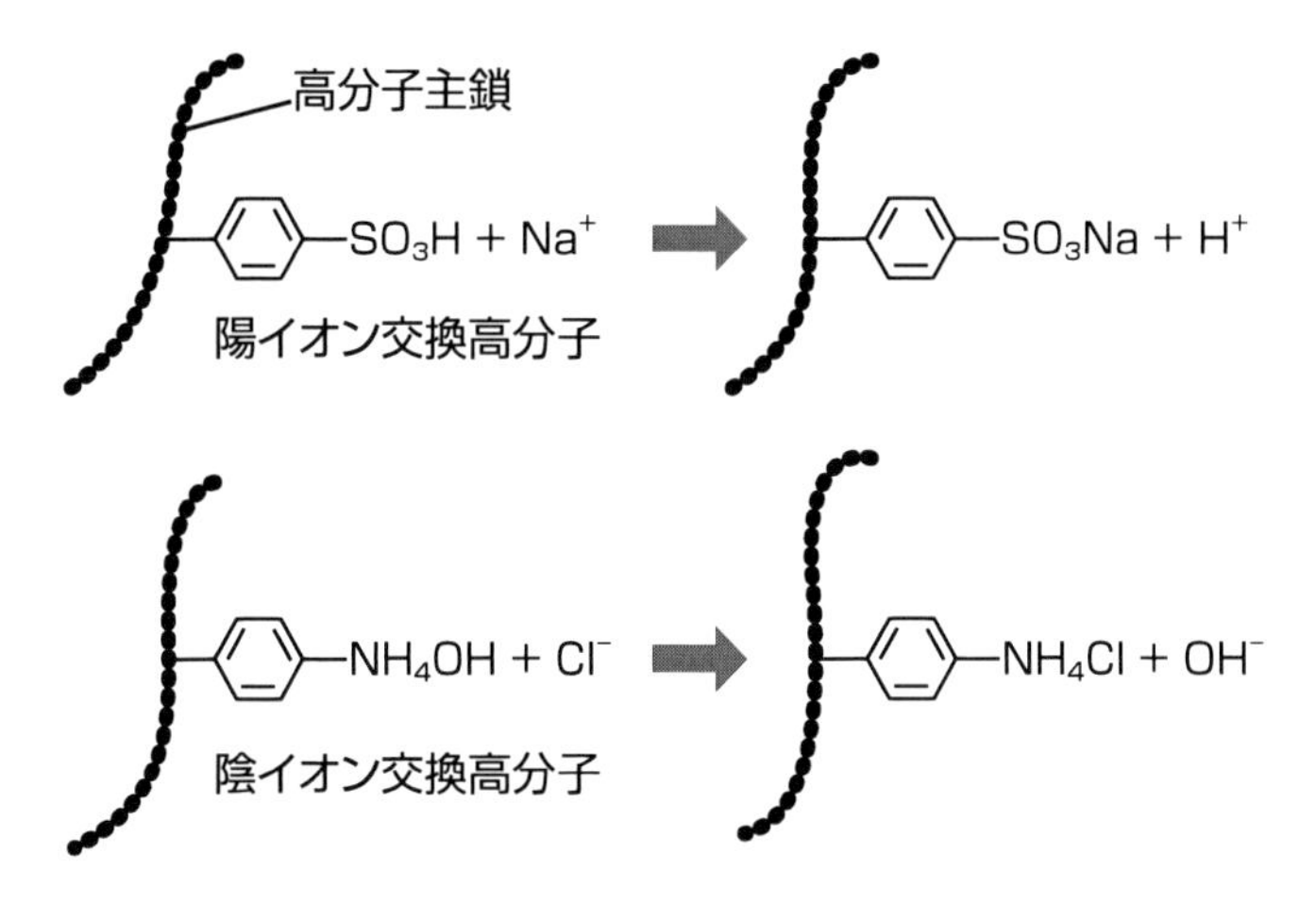

適当なカラム（管）に陽イオン交換高分子と陰イオン交換高分子を詰め、上から海水を注ぎます。海水は高分子の層を通る間にNa^+はH^+にCl^-はOH^-に交換されます。すなわち$NaCl$がHOH、H_2Oに交換されるのです。つまり、電気も熱も何のエネルギーも使わないで海水を真水に換えることができるのです。

●海水を淡水に換える仕組み

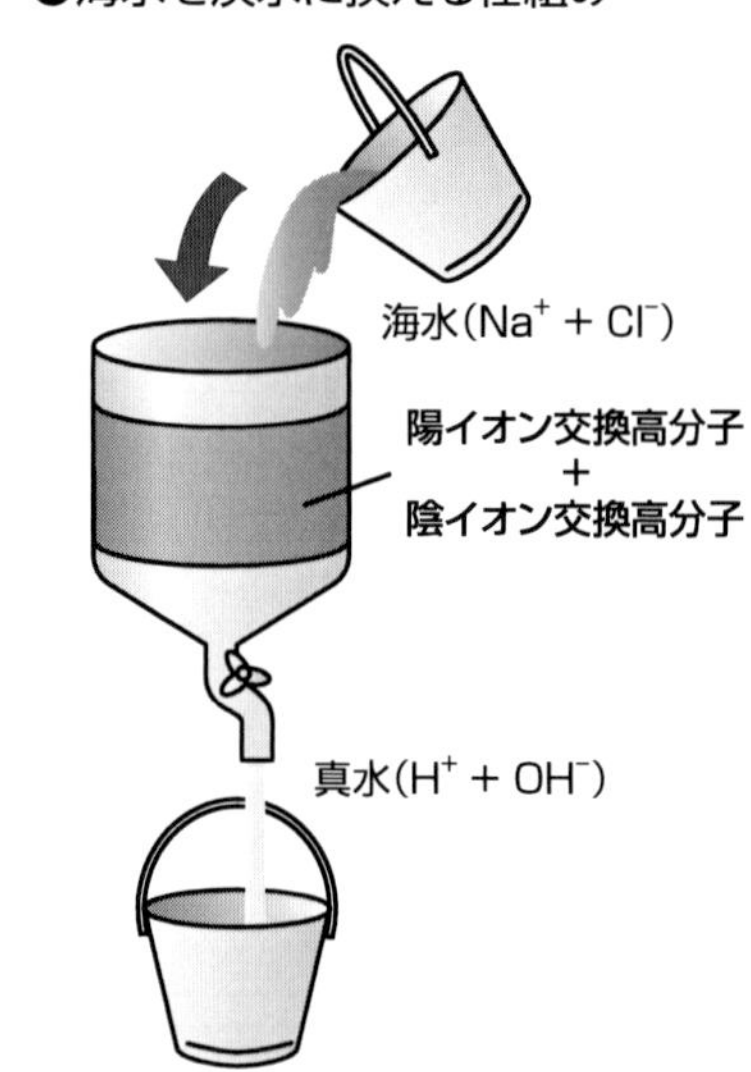

沈殿剤

濁った河川水を水道水に用いる場合にはゴミを沈殿させて除く必要があります。ところがゴミがコロイド化している場合にはコロイド粒子の表面にある電荷の反発があってゴミ粒子はなかなか沈殿しません。

このような場合に活躍するのが高分子系の沈殿剤です。沈殿剤にはイオン性の置換基がたくさん付いており、その電荷とコロイド粒子の電荷の間の静電引力によって沈殿剤が多くのコロイド粒子を集め、沈殿させるのです。正電荷を帯びたコロイドには陰イオン性沈殿剤、負電荷を帯びたコロイドには陽イオン性沈殿剤を用います。

●沈殿剤

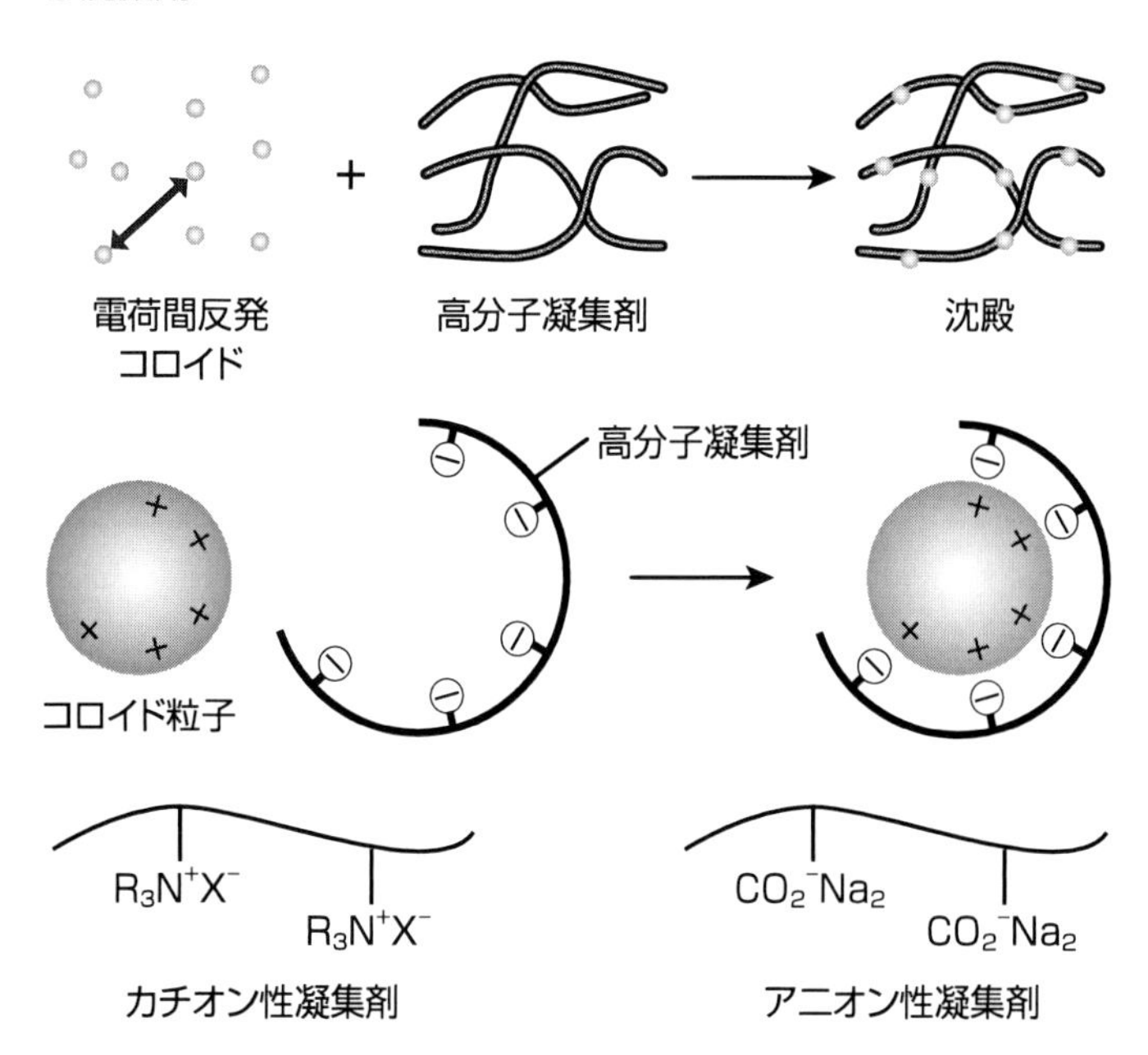

電気素材の代替品

物質には電気を通すものと通さないものがあります。よく通すものを良導体、通さないものを絶縁体、中間のものを半導体といいます。

かつて有機物は電気を通さない絶縁体と考えられ、有機物の一種である高分子も絶縁体と考えられていました。現に高分子は軽くて柔軟な絶縁体として電線の被覆材として大量に用いられています。

しかし、現在では電気を通す導電性高分子はもちろん、超伝導性を持つ有機超伝導体まで開発されています。

高分子の絶縁性

良導体というのは動きやすい電子を持っている物質であると考えることができま

す。そのため、金属結合に由来する自由電子を持つ金属は典型的な良導体となっています。それに対して電子対を基本とする共有結合でできた有機物には自由に移動できる電子は存在しません。そのため、有機物は高分子を含めて絶縁体なのです。つまり、伝導性高分子であるポリアセチレンは後で見ることにして、普通の高分子は軒並み絶縁性となっています。

そのため、ポリエチレンやポリ塩化ビニルは代表的な絶縁体として電線の被覆などによく用いられています。また屋外の電線や大容量の電流を流す電線の被覆には架橋反応を施して機械強度を高めた架橋ポリエチレンが用いられます。

●自由電子の移動

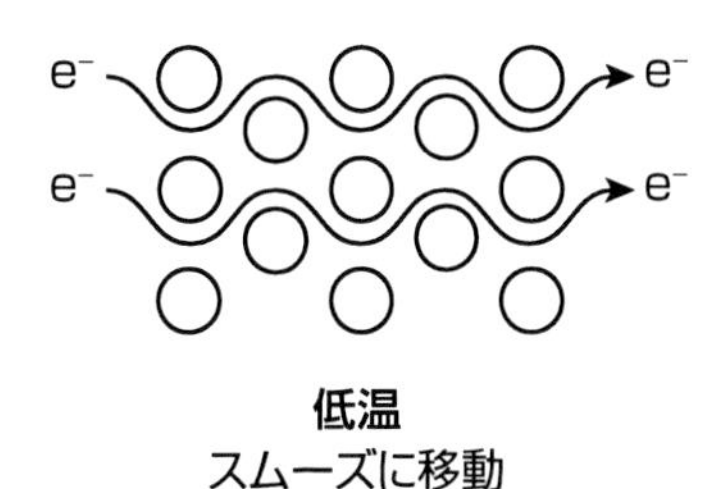

低温
スムーズに移動

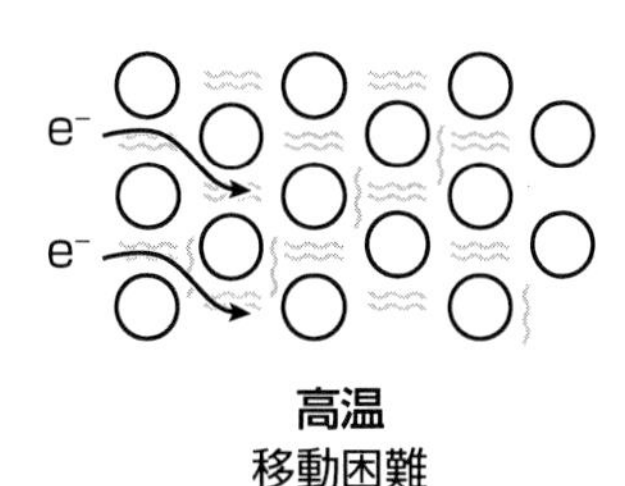

高温
移動困難

導電性高分子

かつて有機物は典型的な絶縁体でした。しかし現在では伝導性の有機物が開発され、超伝導性を持つものまで実現しています。

①ポリアセチレン

白川博士が伝導性高分子の開発でノーベル賞を受賞したのは2000年のことでした。この高分子は三重結合を持つ化合物であるアセチレンを高分子化したポリセチレンでした。ポリアセチレンは一重結合と二重結合が1つ置きに連続した構造を持ちます。このような結合は一般に共役二重結合といい、この結合を作る電子は分子全体に渡って広がっており、自由性が高いものと考えられます。

そのため、ポリアセチレンは伝導性を持つのではないか

●ポリエチレンとポリアセチレン

$$nH_2C{=}CH_2 \longrightarrow H\text{-}(H_2C{-}CH_2)(H_2C{-}CH_2)\text{-} \cdots\cdots H$$

エチレン　　　　　ポリエチレン

$$nHC{\equiv}CH \longrightarrow H\text{-}(HC{=}CH)(CH{=}CH)\text{-} \cdots\cdots H$$

アセチレン　　　　　ポリアセチレン

と期待されたこともありました。ところが実際にポリアセチレンを合成したところ、電気を流さない絶縁体であることがわかりました。

② ドーピング

このようなポリアセチレンが電気を流すようになったのは、少量のヨウ素分子I_2を加えたせいでした。このように不純物として加える物質を一般にドーパント、ドーパントを加える操作をドーピングといいます。ポリアセチレンはドーピングによって伝導性が現れたどころではなく、金属並みの伝導性を示したのです。

ポリアセチレンが絶縁性だったのは、分子内に電子が多すぎたせいだったのです。自動車が多すぎると渋滞が起こるのと似た原理です。渋滞を解消するには自

●ポリアセチレン伝導性

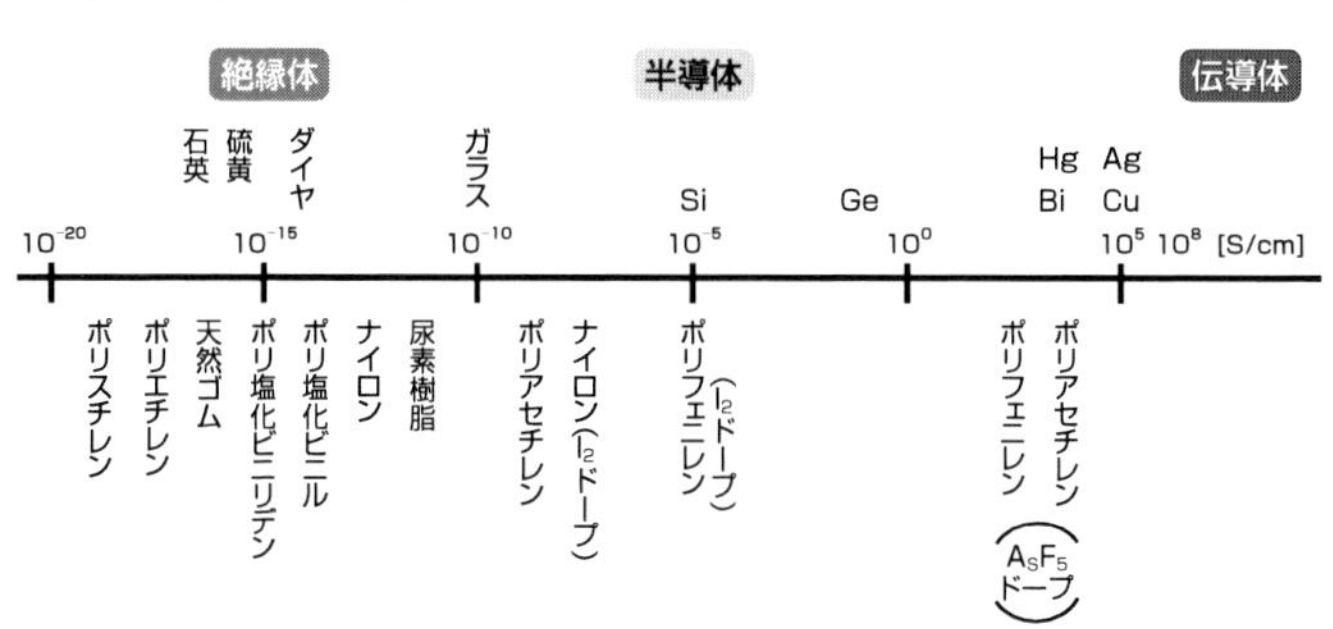

動車を減らせばいいのです。この役をしたのがヨウ素でした。

ヨウ素は電子を奪ってヨウ化物イオンI^-になります。そのため、ポリアセチレン中の電子が少なくなって電子が移動できるようになったのです。この原理がわかってからは多くの種類の伝導性高分子が開発されました。伝導性高分子はＡＴＭや有機ＥＬの柔軟性電極などとしてなくてはならないものになっています。

●ドーピングで伝導するようになった理由

絶縁体のイメージ

渋滞状態

良導体のイメージ

順調に流れている状態

Chapter.5
合成宝石・摸造宝石

宝石とは?

宝石とは、希少性が高く美しい外観を有する固形物のことです。

宝石の条件

宝石としての必須条件は何よりその外観が美しいこと、次に希にしか産しないこと(希少性)ですが、第三の重要な条件として、耐久性、とりわけ硬度が高いことが挙げられます。これは、硬度が低い鉱物の場合、時間とともに砂埃(環境に遍在する石英など)による摩擦風化・劣化のために表面が傷ついたり、研磨面が丸みを帯びたりして、観賞価値が失われてしまうためです。

例としてダイヤモンドはモース硬度10、ルビー・サファイアはモース硬度9です。石英のモース硬度は7ですから、これらの宝石の硬度は石英より高いことになります。

例外的に硬度が7以下であってもオパール、真珠、サンゴなどはその美しさと希少性から宝石として扱われます。

硬度以外の耐久性の条件としては、衝撃により破壊されないこと（靭性）、ある程度の耐火耐熱性があること、酸、アルカリといった化学薬品に侵されないこと、経年変化により変色、退色しないことなどが挙げられます。その他、大きさ、色彩、透明度などの鑑賞的価値、知名度などの財産的価値といった所有の欲求を満たす性質も重要です。

知名度が高い石であっても取り扱

●モース硬度

硬度	鉱物	解説
10	ダイヤモンド	地球上の鉱物の中で一番硬い
9	ルビー・サファイヤ	ダイヤモンド以外の宝石に傷をつけられる
8	トパーズ・スピネル	ヤスリなどでは傷がつかない
7	石英・トルマリン・ヒスイ	ヤスリでわずかに傷がつく
6	オパール・ラピスラズリ・トルコ石	ヤスリで傷がつく。窓ガラスより硬い
5	黒曜石・燐灰石	ナイフでわずかに傷がつく。窓ガラスと同じ硬さ
4	蛍石・マラカイト	ナイフの刃で傷をつけられる
3	サンゴ・大理石	硬貨でこするとわずかに傷がつく
2	石膏、真珠	指の爪でわずかに傷がつく
1	滑石	指の爪で傷がつく

いに注意を要する石もあります。例を挙げるとオパールやトルコ石は石内部に水を含んでいるため、乾燥により割れたり、オパールの場合、特徴でもある遊色効果が消失することもあります。また、サンゴや真珠は酸には極端に弱く、レモン汁や食酢が付着しただけで変色します。琥珀は高温に弱くすぐ溶けます。エメラルドは内部に無数の傷を抱えているので、とりわけ衝撃には弱く大変割れやすい宝石です。

資産価値

材質のみから資産価値を考えた場合、換金性、実用用途に関しては貴金属の方が宝石より多くの場合、優れています。貴金属、とりわけ金は価格算定の根拠となる世界的に通用する評価基準が決められており、相場や市場が整備され、さらに金本位制という経済制度によって各国通貨の貨幣価値を超国家規模で並列化していることに対し、宝石はダイヤモンドこそ国際的な評価基準ルールや市場、相場が定められているものの、それ以外はどの宝石もその評価基準は厳密ではなく、国や民族によっても大きく異なっています。一見、貴金属並みの資産価値がありそうに思えるダイヤモンドも、材質上の理由から火災などの高温環境にさらされるとダメージを受け、資産価値が損なわれる可能性があるため、資産として永続的に保有し続けるには難があります。

命名

宝石の名称は地名やギリシャ語から名付けられることが多いです。特に古くから宝石として扱われてきたものには、ルビーとサファイア、エメラルドとアクアマリンのように無機物としての組成は同一だが、微量に混入する不純物（ドーパント）により色が変わると名称も変わるものがあります。

中でも水晶を代表とする二酸化ケイ素を成分とするものは、その結晶形や晶質、色や外観が異なるだけで石英（クォーツ）、水晶（クリスタル）、アメジスト（紫水晶）、シトリン（黄水晶）、玉髄（カルセドニー）、メノウ（アゲート）、ジャスパー、カーネリアン、クリソプレーズ、アベンチュリンなどさまざまな名称で呼ばれます。また近年宝石として評価されるようになった新発見の鉱物に関しては、ゾイサイトやスギライトなど発見者や研究者の名に由来するものも多くあります。

分類

一般に価値の高い石を貴石とし、やや価値の低い石を半貴石、もっと低い石を飾り石といいます。また、貴石を宝石と呼ぶことがありますが、その場合、半貴石は貴石と言い換えられます。

化学組成による分類

- 元素鉱物 ………… ダイヤモンドC、硫黄S
- 硫化鉱物 ………… 白鉄鉱、黄鉄鉱 ともにFeS_2、黄銅鉱$CuFeS_2$など
- 酸化鉱物 ………… 石英SiO_2、スピネル$MgAl_2O_4$、コランダムAl_2O_3など
- ケイ酸塩鉱物 … 緑柱石$Be_3Al_2Si_6O_{18}$、ジルコン$ZrSiO_4$など
- 炭酸塩鉱物 …… 方解石$CaCO_3$、白鉛鉱$PbCO_3$など

結晶構造による分類

鉱物結晶由来の石は、1つの大きな結晶からなる単結晶と、複数の小さな結晶粒が無数に集合して成立する多結晶の2つに大別されます。多結晶に分類される石は、そのすべてが不透明~半透明であり、結晶と結晶の間に隙間を有する(多孔質)ため、染料などで染めやすいといった特徴があります。

① **非晶質**

オパール、黒曜石(オプシディアン)、モルダバイト、テクタイトなどです。主成分はどれも二酸化ケイ素SiO_2です。

② **生物由来**

化石、黒玉(ジェット、石炭の一種)、アンモライト、琥珀などです。

③ **化石以外**

サンゴ、真珠、青貝、シェル、象牙、鼈甲(べっこう)などです。象牙、鼈甲以外の主成分はどれも炭酸カルシウム$CaCO_3$です。象牙の主成分はヒドロキシアパタイト$Ca_5(PO_4)_3(OH)$で鼈甲はタンパク質です。

SECTION 32

有名な宝石

宝石の中には非常に有名で固有の名前が付けられているものがあります。いくつかの例を見てみましょう。

ホープダイヤ

ホープダイヤモンドは、現在スミソニアン博物館の1つである国立自然史博物館に所蔵されている45.52カラットの青いダイヤモンドです。青い色は、不純物として含まれるホウ素が原因であることが明らかになりましたが、ダイヤモンドが生成される地下深くでは、ホウ素はほとんど存在しないとされているため、なぜ、ダイヤモンドの生成時にホウ素が含まれたのかは謎となっています。

ホープダイヤは、持ち主を次々と破滅させながら、人手を転々としていく「呪いの宝石」としても有名でした。現在では、ホープダイヤはその周りに16個、鎖に45個のダイヤをはめ込んだ白金製のペンダントの中央を飾っています。

9世紀頃、インド南部のデカン高原にあるコーラルという町を流れる川で、農夫により発見されました。1660年にフランス人がこのホープダイヤを購入したときには112と3／16カラットあったとされています。「呪いの伝説」ではヒンドゥー教寺院に置かれた女神シータの彫像の目に嵌められていた2つのうちの1つを盗み、それに気付いた僧侶があらゆる持ち主に呪いをかけたのが起源とされます。

1668年にフランス王ルイ14世がホープダイヤを購入しました。このときカッティングされて67と1／8カラットの宝石となり、「王冠の青」あるいは「フランスの青（フレンチ・ブルー）」「ブルーダイヤモンド」と呼ばれました。このダイヤは王の儀典用スカーフ（クラバット）に付けられました。

1911年にカルティエはホープダイヤを装飾し直してアメリカの社交界の名士エヴェリン・ウォルシュ・マクリーンに売却しました。マクリーンは当初ホープダイヤを使わなかったが、やがて社交の場でいつも身にまとうようになったといいます。また、ペットの犬の首輪にこのダイヤを着けていたこともあるといいます。

コ・イ・ヌール

「コ・イ・ヌール」と呼ばれるダイヤモンドは現存する世界最古のダイヤモンドとして有名で、19世紀の終わりに南アフリカの鉱山から大粒ダイヤモンドが次々と発見されるまでは、世界で最大のダイヤモンドとされていました。

多くのエピソードを持つこのダイヤモンドは、現在は、イギリス王室のエリザベス皇太后の王冠に飾られ、ロンドン塔で展示されています。元々は186カラットでしたが、後にカットし直され108・93カラットになっています。

「コ・イ・ヌール」とはペルシャ語で「光の山」を意味し、このダイヤモンドを所有するものは、世界を征服すると言い伝えられています。

このダイヤモンドについては、インドの古代叙事詩「マハー・バーラタ」に登場し、その伝説で、太陽神スリヤと人間の女性との間に生まれた男児カルナの額についていたのがこのダイヤモンドだったとされています。後にこのダイヤモンドは王宮に持ち込まれ、ヒンドゥー教のシヴァ神像の第三の眼に相当する位置に埋め込まれた、ということです。

伝説とは別に、史実として始めて「コ・イ・ヌール」が登場するのは、ムガル帝国の皇帝バーブルが1526年に書いた「バーブル・ナーマ」の記述です。「コ・イ・ヌール」は皇帝バーブルが戦利品として手に入れたということになっています。その後、1739年にペルシャがインドを制圧した際、ムガル帝国の王のターバンに隠されていた「コ・イ・ヌール」をペルシャの王が奪ったのだそうです。ペルシャ王はその輝きを見て思わず「コ・イ・ヌール（光の山）！」と叫んだといいます。

1849年には、イギリスがインドを支配下に置きます。「コ・イ・ヌール」は、東インド会社を経て1850年にイギリスのビクトリア女王に献上されました。その翌年1851年に、ロンドンで開催された第1回万国博覧会に「コ・イ・ヌール」は出品されます。万博の目玉として期待された「コ・イ・ヌール」でしたが、インド式にカットされたその石は、輝きが少なく、人々を失望させる結果となりました。

そこでビクトリア女王は、「コ・イ・ヌール」をブリリアントカットに再カットします。このカットにより「コ・イ・ヌール」は現在の108・93カラットになりました。

カリナン原石

カリナン(The Cullinan)は、1905年に南アフリカのカリナン鉱山で発見された史上最大のダイヤモンド原石です。3106カラット(621・2g)あり、鉱山の所有者サー・トーマス・カリナンの名前にちなんで命名されました。

ダイヤの結晶形は四角双錐形、つまり背の低いピラミッド2個を底辺で接着したような形です。ところがカリナンはいびつな卵型で発見されました。つまり、この時点で結晶は壊れていたのです。それならば破片が近くにあるだろうと大大的に捜索されましたが発見できませんでした。大規模な地殻変動でどこかに紛失したものと思われています。

カリナンは3106カラットありましたが、1カラットは0・2gであり、ダイヤの比重は3・5ですから、カリナンの体積は約180mL、つまり、昔の牛乳瓶の内

●カリナン

容積、あるいは大人の握りこぶしほどの巨大さです。

カリナンは南アフリカのトランスヴァール政府に売却され、そこから1907年11月9日、イギリス国王エドワード7世へ66歳の誕生日の贈り物として贈呈されました。

エドワード7世はオランダ・アムステルダムにあるアッシャー社にカットを依頼し、9つの大きな石と96個の小さな石が切り出されました。

当時、ダイヤ原石を任意の大きさにカットする技術はありませんでした。そのため、昔ながらのやり方、つまりダイヤにポンチといわれる釘のような硬い金属をあて、それをハンマーで叩いてダイヤを叩き割るのです。

原石であるカリナンをカットするにあたっては、当時世界最高と呼ばれたダイヤ加工技師が選ばれました。ダイヤモンドというのは、鉄より硬い硬度で知られていますが、内部に歪みがある場合は、ある一点をつけば容易に砕ける性質(へき開性)があります。ところ

●カリナンから分割された9つの石

がその一点というのは、当時は経験を積んだ技師にしかわかりえないものでした。

ポンチの位置と方向がよければダイヤは大きくパカッと割れますが、悪ければ粉々に砕けるといいます。アッシャー社の社長アッシャーは冷や汗をかきながら迷った挙句にハンマーを振り下ろしましたが、その瞬間、緊張で気絶して倒れたといいます。

その後、起こされて「うまくいったぞ!」といわれましたが、その声を聴いてまた気絶したといいます。この功績によってアッシャーはイギリス王家から「ロイヤル」の称号を授与され、今も「ロイヤル・アッシャー」を名乗っています。

黒太子のルビー

黒太子のルビー(Black Prince's Ruby)は、有名な宝石の1つで、140カラットの巨大なスピネルです。大英帝国王冠のカリナンⅡの上、正面中央部のクロス・パティに据えられています。

この宝石は、14世紀半ばエドワード黒太子が入手したもので、英国の王冠に使われる宝石の中でも最も古いものの1つです。18世紀までコランダムとスピネルは混同されており、長い間ピジャン・ブラッド(鳩の血の色)をした最高級のコランダムであるルビーとされていましたが、後世になってレッド・スピネルと判明しました。

14世紀にエドワード黒太子がカスティーリャ国王ペドロ1世より譲り受けたとされています。その後、百年戦争においてヘンリー5世がこの宝石を取り付けた兜を着用して戦闘を行いました。アジャンクールの戦いの際にはフランス軍のアランソン公ジャン1世にこの兜をたたき割られますが、宝石と本人は無事だったといいます。

人の手で作られた宝石

宝石には自然によって作られた天然宝石と、人の手によって作られた宝石がありま す。このような宝石の呼び方が問題になります。

例えばダイヤの場合、後に見るように、天然ダイヤと同じ原料、つまり炭素を用いて、天然と同じ高温高圧の条件下で作った、「科学的にみて天然ダイヤと同じダイヤ」もあれば、ガラスに色を塗っただけの、「真っ赤なニセモノ」もあれば、粗悪な天然ダイヤに加工を施して「高級品らしくみせたダイヤ」もあります。この「天然ダイヤ級のダイヤ」と「真っ赤なニセモノダイヤ」の間にはたくさんの階級があります。

それぞれをどのような名前で呼べばいいのでしょうか? まずは、紛れもなく本物の天然宝石から見ていくことにしましょう。

天然宝石

カットや研磨を除き、一切、人の手が加わっていない宝石です。古くから王侯貴族が所有し、王冠などに取り付けられている石で、博物館などに収蔵されているものが多く、特に大きな石については先ほどの「ホープダイヤモンド」などといった固有名が付けられることもあります。宝石の中では確実に資産価値があり、現在でもごくまれに大きなものが産出されますが、種によっては非常に珍しいので高値で取引されます。

なお、どの石にどの程度の資産価値がつくかは石の種類、大きさ、美しさ、来歴（石の産地など）などによって異なります。新鉱山発見などで資産価値が劇的に下がる場合もありますし、逆にニセモノと判明しても「黒太子のルビー」のように骨董的、美術的価値が認められればそれほど下がらない場合もあります。

●ダイヤモンド

処理宝石

天然宝石に外観の改良（エンハンスメント）・改変（トリートメント）処理が加えられた石です。天然宝石に含められることが多いです。宝石店で宝石として指輪やネックレスのトップに加工され、天然を謳っているものは、たいていこの類で、身を飾る目的には合致しますが資産価値は乏しいです。

主な処理には加熱（黄水晶）、電磁波・放射線照射（ブルートパーズ）、着色目的を含めたガラスやオイルの含浸（エメラルド）、貴金属類の蒸着（アクアオーラなど）がありま す。経年変化や長期にわたる紫外線曝露、ひどい場合は超音波洗浄機による洗浄で処理前の姿に戻ってしまうことがあります。

合成宝石

天然宝石と同一の化学的成分から科学的に作り出された宝石です。したがって天然宝石と化学成分・物理特性・内部構造がまったく同じです。ただし、合成手法により原価が大きく異なるので価格も変わり、ベルヌーイ法で合成されたものは組成や結晶構造はまったく同じにもかかわらず、単なる飾り石とされ、宝石扱いはされません。

一方、熱水法やフラックス法はコストも時間もかかるので製造原価が嵩みますので高価になりますが、それでも天然宝石や処理宝石に比較して価格は安いです。さらに、天然宝石には、しばしば見られる内包物（インクルージョン）やヒビ、傷がなく、見た目は天然宝石より美しいにもかかわらず一般に評価は低く、日本ではニセモノ扱いの域を出ず資産価値もないとされます。

ダイヤモンドの場合は採算性の問題から遺灰ダイヤモンドといった非常に特殊な需要を除き、これまで宝石質の石が合成されることはありませんでした。

合成宝石の製造法として、次のものがあります。

①ベルヌーイ法

1902年にフランスの化学者ベルヌーイによって開発された合成宝石の製造法であり、火炎溶融法とも呼ばれます。ベルヌーイ法は主にルビーとサファイアの製造に用いられており、原則として、微細な粉末原料（アルミナ：酸化アルミニウムAl_2O_3）を酸水素炎を用いて溶融させ、液滴をブールへと滴下して結晶化させるもので、今日でも広く用いられています。

②熱水法

エメラルドやルビーなどを構成する化学成分を高温高圧の水に溶解させ、容器に温度勾配を与えると、低温部分で過飽和となった成分がエメラルドやルビーの結晶として析出してくる方法です。

③フラックス法

熱水の代わりにフラックスという宝石の原料を溶かす鉱物質の溶剤を用いた方法です。1個の宝石を作るのに数カ月という長時間がかかり、しかも大きな宝石はできないことから、コストの高い製造法といわれます。

人造宝石

天然宝石とは異なる物質を使用して人工的に作り出した宝石のことをいいます。もともとは工業用材料の開発において、偶然生み出されたものを宝石向けに転用したものです。イミテーションともよばれます。キュービック・ジルコニア(CZ)、ヤグ(YAG)、スリージー(GGG)などがあります。本来ジルコニアはバデライトという鉱物ですが、単屈折にするために添加物を加えて立方晶(キュービック)とするなど、よりダイヤモンドに作為的に近づけたものです。

模造宝石

ガラス・プラスチック・陶器・骨・植物などを使用して天然宝石を模したものです。ラインストーンやタチウオの皮を貼った模造真珠、プラスチックパールなどがあります。鑑別が不要なほど明らかなニセモノもこれに含まれます。一般的にいえば、安価なニセモノです。宝石の種類や性質(光線の透過、不透過など)を問わず、最もよく用いられる素材はガラスです。人造宝石と同様にイミテーションとも呼ばれます。

模造宝石が大きく発展したのは19世紀初頭の産業革命の勃興により資本家階級が出

現してからでした。本物の宝石を用いたジュエリーは、それまで王侯・貴族など支配者層の所有物でしたが、経済的、時間的に余裕を持て余した新興富裕層が、こうした上流階級の暮らしぶりに目をむけ、それを模倣しはじめました。

しかし当時の宝石産出量は現在よりずっと少なく、本物の宝石でこうした人々の需要が満たされることはなかった結果、比較的入手しやすい代替素材で模造されました。

アンティーク宝石

模造宝石というと本物の宝石と比較して劣った印象ですが、現在ではアンティークとして本物顔負けの高値で取引されているものも多くあります。こうした模造宝石に使用された素材は、本物の宝石に比べて耐久性に乏しく、素材の劣化・老朽化により急速に滅失して作品そのものが消え、また素材の加工技術も全盛時は精緻を極めたものの、その後のずっと質のよい素材の登場などにより廃れてしまい、現在では再現不可能な作品も数多くあります。しかしその一方で、高価な天然石を安価な素材で代替した、専門家の鑑識眼をも欺く模造アンティーク宝石があるといいます。

合成宝石と人造宝石

人間の手で作った宝石には「合成宝石」と「人造宝石」があります。前項でも見ましたが、ここで詳しくみてみましょう。

合成宝石

合成宝石はsynthetic(artificial)、Lab-Createdと表記されることもある、科学的に合成された宝石で、化学的に天然宝石と同等品です。したがって化学的に天然宝石と同じ物質であるため物理的特質は同じです。宝飾品として以外に工業目的で利用されています。宝飾品としても諸外国でそれなりの評価がされています。

合成ダイヤモンドを例に挙げると、アメリカ合衆国では1000軒以上の宝石店が取り扱っており、天然ダイヤの総元締めともいうべきデ・ビアス社が専門ブランド

「Lightbox」を2018年に立ち上げています。

日本でも、合成品であることを明示して独自ブランドを含めて取り扱う宝石業者や、それを愛用する消費者が登場しています。京セラはクレサンベールを独自ブランドとして展開しています。合成宝石としては主に次のものが知られています。

① 合成コランダム(ルビー、サファイア)

主に溶融法(ベルヌーイ法、チョクラルスキー法)、フラックス法(高温高圧法)で合成されます。ベルヌーイ法による人工合成が成功する以前の19世紀末頃、スイスで商品にならない屑ルビーを集め、それらを加熱して融かして1つにし、冷やして再結晶させたルビーが出回りました。これはジュネーヴ・ルビーと呼ばれ、品質がよくないため、ベルヌーイ法合成ルビーが出回ると姿を消しましたが、今日でもアンティーク・ジュエリーなどに使用されている例があります。現在では安価な溶融法で合成されたものは工業用途や飾り石に、天然と同じ原理で手間とコストと時間のかかるフラックス法で合成されたものが宝石として扱われます。

電気炉で原料を長期間加熱する方法では、2カ月程度の加熱で200カラットを超える単結晶ルビーが形成されます。しかし天然石との鑑別法が確立されているため基本的に区別は容易です。なお、同じ3カラットのルビーの場合、溶融法合成石の価格を1とすると、天然石の価格はその1000倍以上になるといいます。

② 合成エメラルド

フラックス法で合成される他、価値の低い天然ベリルを母材とした熱水法で合成されます。合成エメラルドの歴史は合成宝石の歴史と言い切れるほど合成には苦労した石であり、合成エメラルド開発で培われた技術が、現在のハイテク素材開発の基礎となっています。

エメラルドはコランダムやスピネルとは異なり、ベルヌーイ法で合成しようとしても結晶にはならず、できるのは単なるガラスであるため、合成には時間と経費のかかるフラックス法のような方法しかありません。しかし、傷だらけの天然石よりも、インクルージョン(内包物)や傷のまったくない宝石的価値の高い美しい結晶が得られます。

③合成アレキサンドライト

アレキサンドライトは天然石がほとんど採れないため、市場に出回るのは、ほとんどが合成石、もしくは模造石です。希少な天然石はかなり低品質の石まで宝石扱いされます。そのため、基本的に高品質な石しか存在しない合成石の価格は決して安くはありません。

これはこの石が天然か合成かといった違いよりむしろ、石そのものの特性に着目して価格設定されるためです。なおエメラルドと異なり、この石は天然石と合成石の鑑別は容易ではありません。

④合成オパール

オパール層の固定が天然と異なるため、厳密にいえば成功はしていません。ピエール・ギルソンが樹脂による固定法を提案して以来、世界中に流通しています。現在は京セラが世界シェアを独占しています。

人造宝石

類似石（simulant）または単にイミテーション（imitation）と呼ばれることもあり、化学的には本物の宝石とはまったく異なるものです。一般にイミテーションという場合には、宝飾に適さない天然石とガラスや合成宝石を貼り合わせたものやガラス製のものを含むこともあります。

① ルビー、サファイア

かつては鑑定技術が未熟だったため、特にルビーは天然スピネルやルベライト（赤いトルマリン）が誤認された時代が長く続きました。これらコランダムはベルヌーイ法により格安のコストで合成できるので、類似石はあまり用いられず、合成石で代用されることの方が多いです。コランダムの中でもルビーはカラット数が大きくなればなるほど、天然石と合成石の価格差が著しく開くので、薄い天然ルビーや天然サファイアの下部に合成ルビーや合成サファイアを張り合わせたダブレットという模造宝石もよく用いられます。

② エメラルド

YAG(Yttrium Aluminum Garnet イットリウム・アルミニウム・ガーネット という人工結晶)や翠銅鉱といった類似石がありますが、それらと本物の区別はそれほど難しくはないのであまり用いられることはありません。むしろ色ガラスやプラスチックに薄い天然石や合成石を貼り合わせたダブレットや、悪質なものには2つの水晶の間に緑のシートを挟んだだけのトリプレットなど模造宝石の方がケースとしては多いです。

エメラルドの場合、天然石には内部に無数の傷が見られるのに対し、単純な合成石や類似石には傷がないので、一見すると高価な天然石より安い合成石や類似石のほうがずっと美しく見えることがあります。ただし近年は合成石にも故意に傷や内包物を入れたものがある一方で、天然石にも内部に傷がほとんどない石(非常に高価である)があったりするので注意が必要です。また、同系の緑色のカラーストーンで、ずっと安価なペリドットにイブニング・エメラルドの別名を用いることがあり、事情を知らない人は騙されることがあるようです。

古典的合成ダイヤ

合成ダイヤモンド(synthetic diamond)は、地球内部で生成される天然ダイヤモンドに対して、科学技術により人工的に作製したものです。主に高温高圧合成(ＨＰＨＴ)法や化学気相蒸着(ＣＶＤ)法により合成されます。研究所製造ダイヤモンド(lab-grown diamond)という呼び名もあります。

高温高圧法

１８７９年から１９２８年にかけて、ダイヤモンドの合成が試みられましたが、すべて失敗しました。１９４０年代には、アメリカ合衆国、スウェーデン、そしてソビエト連邦がＣＶＤ法とＨＰＨＴ法を用いた合成を体系的に研究し始め、１９５３年頃に最初の再現可能な合成方法を発表しました。現在はこの２つの方法で主に合成されています。

ＣＶＤ法、ＨＰＨＴ法以外では、１９９０年代後半に炭素元素を含む爆薬を使用し、爆轟（デトネーション）によるナノダイヤモンド合成法が開発されました。さらに高出力の超音波を用いてグラファイトを処理するキャビテーション法もありますが、未だ商業的には利用されていません。

①合成の試み

１７９７年に、ダイヤモンドは炭素のみで構成されていることが発見されると、多くの科学者らは安価な炭素材料を用いてダイヤモンドを合成することを試みました。１８７９年にジェームス・バランタイン・ハネイが初めて合成に成功し、１８９３年には当時のノーベル化学賞受章者のアンリ・モアッサンも続いて合成しています。

彼らの方法は、鉄製のるつぼに木炭を入れ、３５００℃まで加熱し、それを水中に投下するという合成法でした。溶融した鉄は水に浸すと急激に冷やされ、恐らくその鉄が凝固した際に発生した体積の収縮が、グラファイト（黒鉛）の変化に充分な高圧力を発生させたのではないかと考えられます。

モアッサンは1890年代に研究論文を発表していますが、当時の実験を再現しても温度や圧力が足らず、モアッサンが行った実験と同等の結果は得られていません。察するに、同じ作業を延々と繰り返すことを要求された助手が、精も根も尽き果てた結果、ダイヤモンドが得られればこの実験から解放されると思って、実験結果の生成物に天然ダイヤの粒を混ぜたのではないか、という話しがまことしやかにとりざたされていますが、切ない話です。

② GEダイヤモンド計画

1941年に合成のさらなる改良を目指して、ゼネラル・エレクトリック(GE)社、ノートン社、カーボランダム社の3社合同で研究を始めました。1954年12月16日に、研究チームは、ベルトプレス型アンビルを用いて最初の商業的な合成に成功し、結果は1955年2月15日に公表されました。

このアンビル内では温度2000℃以上、圧力10GPa以上の状態を作り出すことができ、溶融したニッケル・コバルト・鉄で溶解したグラファイトを用います。融解した金属は触媒のような役割を果たし、グラファイトを溶かすだけでなく、ダイヤモンドへ変化させる速度を上げたものと考えられています。

彼らが合成したものは最大でも直径0・15㎜で、あまりにもサイズが小さく宝石としては不完全なものでしたが、工業用研磨材として利用するには充分な能力がありました。

③その後の研究

1970年にGE社は、宝石と同等の質をもつダイヤを最初に開発し、1971年にこの研究結果を発表しました。当初は一週間かけて実験を行っても、宝石として価値のあるのは大きさ約5㎜、質量1カラット(0・2g)のダイヤモンドしか生成しませんでした。

初期の宝飾用は、不純物として窒素が含まれるため、常に黄色や褐色を呈していましたが、窒素を除去し、アルミニウムやチタンを加えると無色透明になり、ホウ素では青色を示しました。

近代的人造ダイヤ

現在、合成ダイヤモンドの合成法は新規な方法が開発されています。そのいくつかを見てみましょう。

化学気相蒸着法

炭化水素の混合気体による化学気相蒸着（CVD：chemical vapor deposition）を用いる方法です。1980年代初頭、この方法は世界中の科学機関により研究されました。

利点としては、さまざまな種類の基板上で広範囲にダイヤを成長させることができる点と、化学的な不純物の種類と量を細かく制御でき、それにより特性を自由に変化させたダイヤモンドの合成が可能な点にあります。

大量生産には、前節の高温高圧法がより適していますが、ＣＶＤ法は高圧力環境を必要とせず、一般的に27ｋＰａ未満でダイヤモンドの成長が進行します。

ＣＶＤ法では、合成基板の前処理と、チャンバー内の混合気体の種類とその比率が重要になります。まず基板は、合成に適した材料とその結晶方位を選択しなければなりません。

まず、基板の合成面にダイヤモンド粉末で傷付け処理を施し、ダイヤモンド成長に最適な基板表面温度（約８００℃）を設定します。次に、合成ガスはメタンなどの炭素を含む気体と水素（メタンと水素の割合は1対99）とします。非ダイヤモンド炭素をエッチングにより選択的に除去するため、水素は不可欠です。そして混合ガスはマイクロ波、熱フィラメント、アーク放電、電子ビームなどの方法で化学的に活性なラジカルへ励起させます。

デトネーションによる爆発合成

金属製のチャンバー内で炭素を含む爆発物による合成により直径５ｎｍ（ナノメー

トル、1nm=10⁻⁹m)のダイヤモンド結晶が生成します。このように合成したものは「デトネーション(爆轟)ナノダイヤモンド」と呼ばれます。この他に、グラファイト粉末で満たした金属管をチャンバー内にセットし、爆発の高い圧力と温度により生成する方法もあります。

このナノダイヤモンド粉末は研磨材等として利用されます。主に中国、ロシア、ベラルーシで生産され、2000年代初めまでに大規模に市場で取引されました。

超音波キャビテーション法

超音波によるキャビテーション(発泡)を行うことで、標準状態下の有機溶媒中で分散したグラファイトからマイクロメートル(μm)サイズのダイヤモンドの合成が可能です。

この方法では、高温高圧法よりも非常に結晶性の悪いダイヤモンドしか生成しません。比較的簡素な設備と合成手順で生成可能ですが、現在では産業用の利用はありません。

合成ダイヤモンドの特性

一般的には結晶構造の欠陥により決定づけられ、純粋または高い結晶完全性をもつものは濁りがなく透明ですが、硬度や光の分散、化学的安定性は一般に取引されているものと変わりがありません。

①結晶性

1つの単結晶か、またより小さい結晶の集合体である多結晶で構成されています。無色透明で単結晶のものは宝石として利用されますが、多結晶のものは多数の小粒子からなり、宝石には向きません。採掘道具や切削用具などに利用されます。

②硬度

合成ダイヤモンドの硬度は、純度、結晶完全性、結晶方位に依存します。欠陥がなく結晶がより完全に近いものは、単結晶ダイヤモンドの30％～75％の硬度を持ち、特殊な方法で硬度を調節することも可能です。高温高圧法により生成したナノダイヤモンド（ハイパーダイヤモンド）は、すべての天然ダイヤモンドよりも硬いことが知られています。

③ 熱伝導性

電気絶縁体と異なり、純粋なダイヤモンドは結晶内の強い共有結合により熱伝導に優れ、あらゆる固体物質の中で最も大きいです。また99・9％の質量数12の炭素（^{12}C）で構成される単結晶の合成ダイヤモンドは全物質中で最大の熱伝導率を有し、室温での値は30W／㎝・Kで、銅の7・5倍です。しかし天然ダイヤモンドの熱伝導率は合成ダイヤモンドより1・1％減少します。それは、天然ダイヤには^{13}Cが含まれ、格子内の異質物として振る舞うからです。

●共有結合結晶

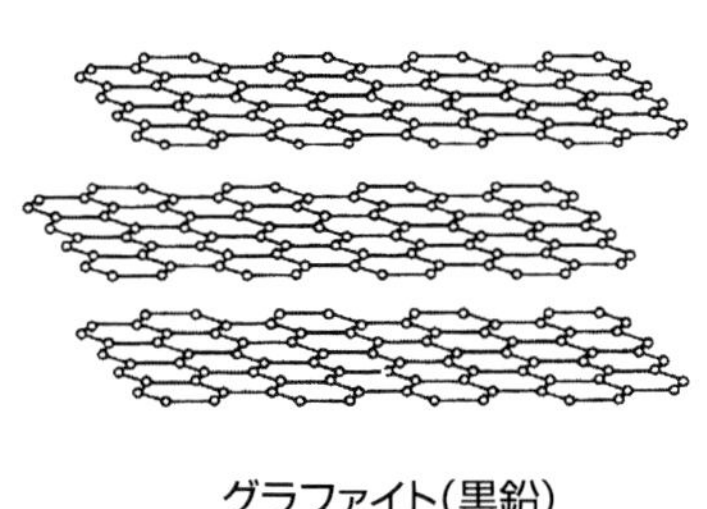
グラファイト（黒鉛）

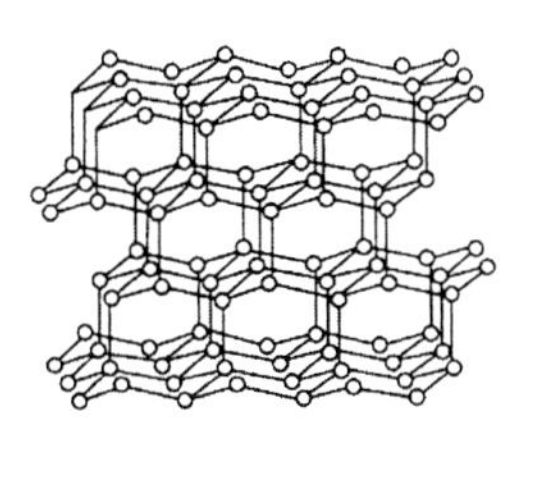
ダイヤモンド

合成ダイヤモンドの利用法

合成ダイヤモンドは、宝飾用に利用されるだけではありません。現在では各種工業用としても欠かせません。

切削工具

ダイヤモンドの産業利用は長らく、その「硬さ」に関係し、工作機械や切削道具の理想的な材料として利用されていました。ダイヤモンドは、物質の中でも非常に硬いことから、あらゆるもの(ダイヤモンド自身も)を研磨、切断、摩滅させます。例えば、ドリルの刃、のこぎり、精密研磨用の砥石に粉末が使用され、最も一般的な利用方法となっています。

しかし、これらの道具は高温になる作業には向きません。例えば、高速で鉄合金を加工する場合、摩擦により生じる熱で炭素が鉄に溶解しやすくなるため、これらの道具は他のものよりも非常に摩耗しやすいからです。

放熱器

金属のような高い熱伝導率を有する物質は、たいてい高い電気伝導性を持ちます。純粋な合成ダイヤモンドも熱伝導率が大きいですが、電気はわずかしか通しません。

このダイヤモンドの性質は電子産業にとって非常に貴重で、高出力のレーザーダイオードやトランジスタ用のヒートシンクに利用されています。効率的な熱の拡散は素子の寿命を延ばすので、多少高価ではあっても効率的なダイヤモンド放熱器を使用することは、寿命が尽きた素子の入れ換えに要する高価なコストに見合います。

半導体

ホウ素とリン等をドープできるため、p-型またはn-型半導体に変化させることができます。連続的にホウ素とリンをドープしたpn接合により、波長235nmの紫外線を発生するLEDを作り上げたと報告されています

合成ダイヤモンドのトランジスタはシリコン製よりもはるかに高い温度で作動でき、光や熱また化学的変化に対する耐性を持ちます。

宝石

宝石として使用されるものは高温高圧法やCVD法による合成でも作製されます。これらは窒素の不純物により黄色に、ホウ素により青色に呈したのが多いですが、無色透明に近いものも合成されています。また、合成後に電子線や中性子線などの放射線を照射することによりピンクや緑色などにすることも可能です。

天然ダイヤモンドを取扱う業界にとって、合成ダイヤモンドの宝石市場への進出は脅威になりつつあります。製造企業の一部は天然ダイヤモンドとの判別に協力しており、ジェムシス社ではすべての宝石にシリアルナンバーをレーザーで刻んでいます。

2018年5月29日、デ・ビアス社は、合成ダイヤモンドを「Lightbox」というブラ

ンドで販売することを発表しました。価格は200ドルから800ドルくらいと、天然ダイヤモンドよりも安価なことをセールスポイントとしています。製法はCVD法で、無色透明の他、ピンクやブルーの製品も販売しています。

イミテーションダイヤ

「ダイヤモンド類似石」あるいは「模造ダイヤモンド」は、ダイヤモンドの天然石あるいは合成石の色や外観や質感を模倣したもののことです。つまり、ダイヤモンドの模造品です。

肝心なことは、「ダイヤモンド類似石」は「天然ダイヤモンド」や「合成ダイヤモンド」とはまったく異なるものだということです。また、加熱や放射線照射により美しく見えるよう人工的に手を加えた、いわゆるエンハンスメント(処理)ダイヤモンドも、ダイヤモンド類似石の定義から除外されています。

ダイヤモンド類似石の例

ダイヤモンド類似石の代表的なものとしては、ガラス、プラスチック、セラミックスが挙げられます。

　最もよく知られたダイヤモンド類似石としては、有鉛ガラス(クリスタルガラス、より具体的にはラインストーン)とキュービックジルコニア(CZ)があり、いずれも天然には産しない人工合成石です。その他にも、チタン酸ストロンチウム、合成ルチルといった多くの人工合成ダイヤモンド類似石が1950年代半ばに開発されましたが、すぐに廃れてしまい、現在、市場で見かけることはありません。一方、20世紀末にレーザー研究から開発された材料モアッサナイトは、ダイヤモンド類似石として出回りつつあります。

●キュービックジルコニア

諸特性の許容値とその差異

その特性がダイヤモンドに極めて類似している最先端の人工ダイヤモンド類似石であっても、ダイヤモンドではないと断定できる特性は次のものがあります。

①硬度

モース硬度は引っかき傷に対する抵抗性で示される非線形の鉱物硬度指標です。ダイヤモンドは、天然石としてはこの指標において最高位の10にランクされています(人工物としてはダイヤモンド・ナノロッド凝集体など、ダイヤモンドより高い値を示す超硬度材料がある)。それゆえにダイヤモンドはダイヤモンドを用いた場合を除いてその研磨が非常に困難であり、宝石としてほとんど傷がつくことはありません。

ダイヤモンドがとてつもなく硬いことは、語源となったギリシャ語のアダマントという形容詞からわかるように、丁寧にファセット・カットされたその光沢面をルーペや顕微鏡下で見れば、平面は傷1つなく滑らかで、エッジ(角)にも磨耗1つ見られず鋭敏であることが視覚的に明白に確認できます。

② 比重

宝石用ダイヤモンドの比重もしくは密度は3・52で、ほぼこの値から外れません。ほとんどのダイヤモンド類似石はこれよりずっと重いか、あるいは若干軽いため、裸石の場合はこの差を利用して簡単に真贋を見極めることができます。一例を挙げると、キュービックジルコニア(比重5・6~6)は、同サイズの本物のダイヤモンドに比較して、1・7倍ほどの重量になります。

③ 光学特性と色

ダイヤモンドは通常、そのきらめきを引き出すためブリリアントカットが施されます。ブリリアントとは、石に入射した光がすべて石の底面で反射し白く輝くことであり、それに加え虹色のカラフルな光の明滅(ファイアと呼ばれる)を見せます。この2段階にわたる光の芸術は石に施されたカットによるものですが、カットでそうなるのはダイヤモンドが2・417(ナトリウムのD線波長589・3nm下において)という高い屈折率と0・044(ナトリウム光のB線~G線間の測定)という、白色光を七色に分光できるレベルの高い分散値を有するからです。

④ 蛍光

ダイヤモンドは、UV-A（波長315～400nm）光下において、青、黄、緑、藤色、赤などさまざまな強い蛍光を発します。多くのダイヤモンド類似石とは対照的に、本物はUV-C（波長100～280nm）光下においてはほとんど蛍光を発しません。

⑤ 不純物

本物のダイヤモンドには、その内外部に欠陥やゴミがたまに見られ、その多くは格子欠陥と他の固体鉱物結晶です。人工合成石には欠陥やゴミがまったく見られず、たとえあったとしてもそれは製造過程で紛れ込んだ、いわば製造工程上の特徴といったものです。天然の類似石にとりわけよく見られる欠陥は、本物のダイヤではほとんど観察されない羽毛状の液体です。

⑥ 熱および電気的特性

ダイヤモンドの熱伝導率は、ずば抜けて高く、ゆえにダイヤモンドは熱に関しては導体ですが、電気的には絶縁体です。

Chapter. 6
貴金属の代替品

貴金属とは？

皆さんは「貴重」なものといわれたら何を思い出すでしょう？　お金でしょうか？　大切な友人からもらった手紙でしょうか？　それとも、貴金属、宝石、あるいは美術、骨董品でしょうか？

次に「美しい」ものといわれて思い出すのは何でしょう？　宝石、貴金属、美術品、あるいは山などで拾った鉱石でしょうか？

最後に「永久に変わらないもの」といわれたら何でしょう？　愛、友情という人

●貴金属

もいるでしょうが、多くの方は宝石、貴金属というのではないでしょうか？
どうも私たちにとって、貴金属は宝石や美術品と並んで貴重で美しく、永久に変わらないものの代表のようです。

貴金属と卑金属

ところで、貴金属とは何でしょう？　言うまでもありません。貴く、価値のある金属のことです。江戸期以前の日本なら、貴金属といえば金Au、銀Agの2種類の金属以外にありませんでした。しかし、それ以降は金、銀に並んで白金（プラチナ）Ptが入ってきましたし、最近はホワイトゴールドという金属もあるようです。

これら以外の金属、つまり、鉄Fe、銅Cu、スズSn、鉛Pb、亜鉛Zn、あるいはカタカナのニッケル、クロームなど、いわば身の周りにある金属は押しなべて卑金属と呼ばれます。「貴」金属と「卑」金属、方や「貴い」金属、方や「卑しい」金属、これでは鉄や鉛があまりに気の毒ですが、仕方ありません。それが現在の分類なのです。

貴金属のための3条件

なぜ、これら3種の金属だけが貴金属なのでしょう？　それは次の3条件を満たすことが、貴金属の条件だからです。

❶美しい
❷希少である
❸変化しない

貴金属の3条件の「美しい」というのは言うまでもありません。美しい色彩で美しく輝くということです。「希少」というのは、めったにない、存在量の少ない金属ということです。いくら美しいといっても、どこの道端にでも転がっているような金属では貴金属とは呼ばれません。そして「変化しない」というのは、化学変化しにくいということです。つまり、錆びたり、溶けたりしにくいということです。

それでは金、銀、プラチナ以外に貴金属はないのでしょうか？　あります。それに関しては後ほどご説明しましょう。

貴金属の価格

貴金属という場合に気になるのは貴金属の価格です。スーパーに並ぶ魚や野菜の価格は日々変動します。このような価格を時価(じか)といいます。貴金属の価格も日々変化する時価なのです。それどころか、株と同じように刻々変化します。

2024年4月10日の価格で、1g当たり、金＝12687円、プラチナ＝5325円、銀＝153円です。現在の金の価格高騰には驚きます。反対に銀の価格の安さを意外に思う方もおられるかもしれませんが、桁の間違いはありません。銀の価格は本来それくらいのものなのです。

ただし、時価は動きます。金の価格は、2010年には3560円、2000年には960円でした。「あのとき、買っておけばよかった」と思うのは、いつだって何についても起こることです。怖いのは、時価は常に上がり続けるとは限らないことです。

ときに暴騰すれば、暴落することもあります。特に銀は価格が安いだけに大量に買占めることも可能であり、過去に何回か10倍以上にも大暴騰しています。もちろんその後には必ず大暴落して元に戻ります。

貴金属の種類

貴金属というと金、銀、プラチナを思い浮かべますが、前の項目で見た貴金属の3条件を満たす金属は金、銀、プラチナだけではありません。

純粋貴金属

金製品といえば金でできているに決まっていますが、実は「金」にもいろいろあります。お酒は水とアルコール(エタノール)の混合物ですが、アルコールの含有量は、日本酒の15度(15%)からウイスキーの45度、あるいは特殊なウォッカやアブサンのように70度を超すものまでいろいろあります。

金も同じなのです。金100%の純金から、いろいろの金属を混ぜた、純度50%を切るものまで、各種揃っています。

物質には純粋なものと不純なものがあります。金属も同様です。純粋というのは、その物質が単一種類の原子、もしくは分子からできていることを意味します。

単一種類の原子だけからできている物質というのは、身の周りにはあまり多くありません。固体ではありませんが、遊園地などで売っている風船に入っている気体はほぼ純粋なヘリウムHe原子です。他に身の周りにある純粋原子といえば金属です。鉄製の釘は、ほぼ純粋な鉄Fe原子です。家庭の電線に入っている赤い針金も、ほぼ純粋な銅Cuです。釣り道具店で売っている重くて柔らかい錘(おもり)も、ほぼ純粋な鉛Pbです。

単一種類の分子だけでできた物質も多くはありませんが、水は、ほぼ純水といってよいでしょう。塩(塩化ナトリウム)、うま味(グルタミン酸ナトリウム)や砂糖(スクロース)も純粋品といってよいでしょう。これら以外の純粋品は身の周りで探すことは難しいようです。私たち生物は不純品に囲まれて動く不純品の集まりのようです。

貴金属の金、銀、プラチナはどれも単一種類の原子の集合体です。つまり純粋な物質です。これらの貴金属はそれ自体の力として、つまり、他の何物の力も借りずに、先の貴金属のための3つの条件を満たしています。いってみれば生まれながらの貴金属ということになります。

宝飾的貴金属

貴金属といえば金、銀、白金(プラチナ)、ホワイトゴールドと言いたくなりますが、実はこれら以外の貴金属もあります。金、銀、プラチナ、ホワイトゴールド以外の貴金属は街の宝石店に並ぶことはありませんが、先に見た貴金属のための3条件を満たしており、科学的に貴金属と認められたものばかりです。

宝石店に並ぶ貴金属は品位はともかくとして、金、銀、プラチナおよび、その合金類です。このような貴金属はリングやネックレスなど、主に身を飾る宝飾品、高級腕時計、あるいは各種置物、仏具など主に宝飾品に加工されたものです。そこで、このような貴金属を宝飾的貴金属と呼ぶことにします。

化学的貴金属

金属の中には貴金属のための3条件を満たしている金属がいくつかあります。それは周期表において8、9、10、11族に属する元素で、さらに第5、第6周期に属する元素、合計8元素です。これらの原子の名前と原子番号はルテニウムRu(44)、ロジウムRh(45)、パラジウムPd(46)、銀Ag(47)、オスミウムOs(76)、イリジウムIr(77)、白金(プラチナ)Pt(78)、金Au(79)です。

このうち、11族に属する金と銀を除いた6元素、すなわち8、9、10族に属する元素は「白金族」と呼ばれ、白金、つまりプラチナと性質がよく似ていることが知られています。

この他に、化学的性質が安定ということを考慮して銅Cuと水銀Hgを含めることもあります。しかし、これらの貴金属が宝飾店の店先に並ぶことはありません。そこでこれらは宝飾的貴金属に対して化学的貴金属と呼ばれることもあります。

●周期表

	1	2	3	4	5	6	7	8	9	10	11	12	13	14	15	16	17	18
1	H																	He
2	Li	Be											B	C	N	O	F	Ne
3	Na	Mg											Al	Si	P	S	Cl	Ar
4	K	Ca	Sc	Ti	V	Cr	Mn	Fe	Co	Ni	Cu	Zn	Ga	Ge	As	Se	Br	Kr
5	Rb	Sr	Y	Zr	Nb	Mo	Tc	Ru	Rh	Pd	Ag	Cd	In	Sn	Sb	Te	I	Xe
6	Cs	Ba	Ln	Hf	Ta	W	Re	Os	Ir	Pt	Au	Hg	Tl	Pb	Bi	Po	At	Rn
7	Fr	Ra	An	Rf	Db	Sg	Bh	Hs	Mt	Ds	Rg	Cn	Nh	Fl	Mc	Lv	Ts	Og

ランタノイド(Ln)	La	Ce	Pr	Nd	Pm	Sm	Eu	Gd	Tb	Dy	Ho	Er	Tm	Yb	Lu
アクチノイド(An)	Ac	Th	Pa	U	Np	Pu	Am	Cm	Bk	Cf	Es	Fm	Md	No	Lr

貴金属の産出と製錬

貴金属は、人間社会では宝飾店にありますが、自然界ではどこにあるのでしょうか?

貴金属の産出量

貴金属の条件の1つは希少性です。貴金属の地殻における存在量は少なく、しかも存在する地域は限定されています。

これまで人類が採掘してきた金の総量は約18万tといわれます。金の比重は19・3なので、この量は体積に直すと水泳のプール約3・8杯分の量になります。金にも化石燃料と同じように可採埋蔵量が計算できますが、それによると20年足らずといいますから、ほぼ50年といわれる石油や天然ガスの半分より少ないことになります。

しかし、採掘できるかどうかはともかくとして、地球上に存在する金の総量を考えるとそれほど悲観したものでもありません。海水には非常に薄い濃度ではありますが金が含まれています。よく、「金は王水以外の何物にも溶けない」などといわれますが、あれはウソです。最近、置いてある家は少なくなったようですが、昔、子供が転んで擦り傷に塗った薬にヨードチンキという赤い液体がありました。金はこれにも溶けます。昔の体温計に入っていた銀色の液体である水銀にも溶けます。サスペンスでよく出てくる猛毒の青酸カリの水溶液にも溶けます。それどころか、非常に薄い濃度ですが、水、海水にも溶けます。

海水の量は膨大です。試算によると海水に含まれる金の総量は500万tとも50億tともいわれます。海水から金を取り出すのは化学的には簡単です。クラウンエーテルという構造の化学物質を使え

●クラウンエーテル

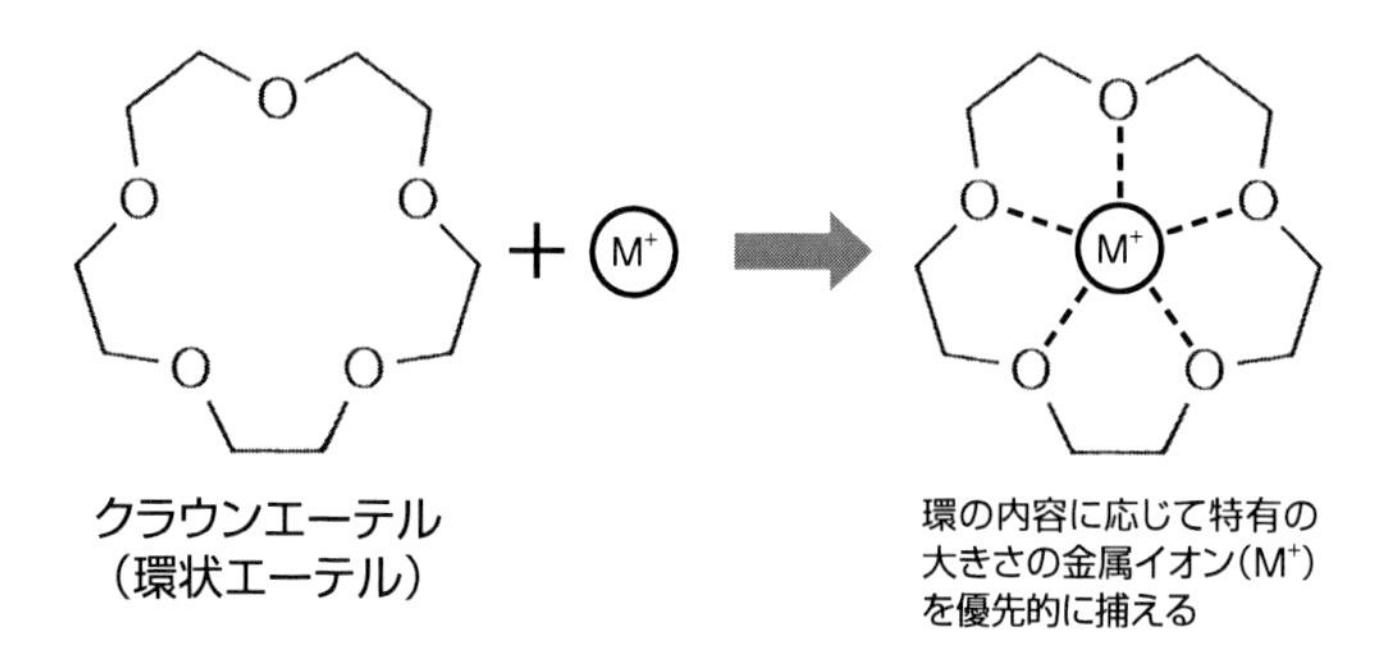

ば可能です。その技術は実験室的には完成の域に達しています。その気になれば明日からでも海水から金を取り出すことができます。問題はコストです。現在のコストで実用化するには高すぎます。銀座へ行って金を買ってきた方が何倍もお得です。

将来、金の価格がさらに上がり、技術革新が進めば、海水から金を取りだすことも実現性を帯びて来るでしょう。

都市鉱山

貴金属は地球のどこにあるのでしょう？　当然の話しながら鉱山です。世界だったら南アフリカや中国、ロシアにある鉱山です。昔だったら日本の鉱山、つまり佐渡金山や石見銀山などです。しかし、今注目されているのは都市のど真ん中にある都市鉱山(アーバン・マイン)です。

①金の消費

鉱山から掘り出された金はどのように使われるのでしょうか？　貴金属は化石燃料

と違って消費されてなくなるものではありません。金貨となろうと宝飾品となろうと、あるいは機械電気製品の部品となろうと、なくなってしまうことは決してありません。つまり金は掘り出されたらその分だけ、社会の富として貯蔵され、その在庫量は年々上昇していくのです。

金の用途を見ると、宝飾品がダントツに多く、次いで投資用の保存や金地金（インゴット）、コインです。量は少ないですが工業、電器産業にも使われています。パソコンやデジタルカメラなどの電気製品や携帯電話の回路基板に施されているメッキには金や銀が含まれています。プラチナの場合は、金の用途と事情が違います。プラチナの3／4は自動車触媒や産業用として使われています。

② 社会的埋蔵量

貴金属製品は、なくなることはなく、常に家庭や工場に存在し続けます。このような貴金属製品を回収し、精製処理すれば純度の高い貴金属を取り出してリサイクルすることが可能です。1tの金鉱石から採取できる金の量はわずか5gほどなのに対し、携帯電話1tからは約200gもの金が回収できるといいます。都市鉱山、アーバン・

マインは他に例を見ないような優秀な鉱山なのです。

現在、金の場合、年間需要のうち約1/3量が市場からのリサイクルによってまかなわれています。世界中に存在する金のうちなんと約16％は日本にあるとされます。銀にいたっては世界の約22％は日本にあります。パーセントは少ないですが、白金(プラチナ)だって2500tもあります。世界一のプラチナ産出国である南アフリカの2011年の産出量が138tですからその20年分も日本の社会に埋蔵されているのです。

貴金属の抽出

選鉱で選び出された鉱石もその大部分は金以外の金属や岩石です。このような物体から金を取り出すのが、抽出という技術です。これは高度に化学的な技術であり、歴史とともに改良向上されています。

●貴金属の社会的埋蔵量

貴金属	世界埋蔵量	日本の都市鉱山	比率
金	42,000t	6,800t	16.19%
銀	270,000t	60,000t	22.22%
白金(プラチナ)	71,000t	2,500t	3.52%

①アマルガム抽出

水銀Hgは液体の金属であり、液体の水銀に他の固体金属を入れると、そのまま溶けて泥状の液体になります。これが水銀の合金であり、一般にアマルガムといいます。選鉱で選び出された鉱石のうち、金の含有が確かと思われる鉱石を目で選んで、砕いて細かくします。この細粒を水銀に入れるのです。すると鉱石細粒中の金は水銀に溶け出して液体になります。金以外の岩石はそのままです。

これをろ過して不溶の鉱石を除けば、液体部分は金と水銀だけということになります。この液体を加熱して水銀を揮発除去すれば、金が固体として残ります。

簡単のようですが非常に危険な作業です。水銀の有毒性は日本で起こった公害のうち、水俣病（熊本県）と第二水俣病（新潟県）の原因となったことをみればよくわかります。国際的にアマルガム法に対する批判は強いのですが、設備の問題、費用の問題などで現在も根強く行われているようです。

●アマルガム

②青化法

「青」というのは、色のことをいうのではありません。青酸カリウム(正式名シアン化カリウム)KCN、青酸ナトリウムNaCNを用いる方法ということを意味します。

青酸カリは、サスペンスドラマや小説で登場するなど知らない人はいないというほど有名な毒物ですが、青酸カリの水溶液は金をよく溶かします。青酸カリを用いれば、鉱石から金を抽出することができます。その具体的方法はアマルガム法と同じです。細かく砕いた金鉱石を青酸カリ水溶液に入れれば、金だけが溶け出します。

青酸カリや青酸ナトリウムは自然界にはほとんど存在しません。似たものが若い梅の実のタネに含まれるくらいです。実用的には人間が化学的に合成したもので、日本における青酸ナトリウムの1年間の生産量がなんと3万tといいます。

③灰吹き法

この方法はメソポタミア平原でBC3~4千年紀の初期青銅器文化時代に開発されたものと考えられています。それは銀と鉛を含む鉱石である方鉛鉱から銀を抽出するというものです。その手順は次のようなものです。

❶鉱石を砕いたものを皿にのせて水中でゆすり、金属の多い部分を比重選鉱で選択します。
❷この鉱石と鉛を炉の中に入れて高温でドロドロに溶かします。すると銀は鉛と親和性があるので鉛の中に溶け出します。
❸皿に灰を置き、その上に「鉛と銀の塊」をのせて熱します。すると鉛は灰に吸収されて銀だけが灰の上に残ります。これは溶けた状態の鉛と銀では表面張力が違い、表面張力の小さい鉛だけが灰に吸収されるからです。

このように灰吹き法では鉱夫は常に鉛の蒸気に晒されていました。そのため、鉱夫は押しなべて鉛中毒になり、日本最大の銀山であった石見銀山での鉱夫の平均寿命は三十年程度だったといわれます。石見銀山周辺に立派なお寺が多いのはこのような理由によるものだといわれています。

合金

一般の貴金属の中には、純粋な貴金属だけでなく、不純物を混ぜた貴金属もあります。このような不純貴金属を作るのはそれなりの理由があるのです。決して水増して儲けようという魂胆ではありません。

ホワイトゴールド

宝石店に並ぶ貴金属は金、銀、プラチナだけではありません。ホワイトゴールドというものがあります。ホワイトゴールドはその名前の通り、白い金属です。しかし銀やプラチナではありません。

ホワイトゴールドを素直に日本語に訳すと「白い金」つまり白金となりそうです。しかし白金の英語名はプラチナであり、ホワイトゴールドではありません。ではホワイトゴールドとは何でしょう？　ホワイトゴールドの日本名は「白色金」だそうです。苦しい訳のようですが、意味はよく通る訳です。

ホワイトゴールドは金に銀やニッケルなどを混ぜた合金であり、金の合金のうちで、色の白いものをいうのです。それでは白色や金色以外の色の金もあるというのでしょうか？　あります。青金（あおきん）、赤金（あかきん）などがよく知られています。金にいろいろの金属を混ぜることによって青味がかった金色、赤味がかった金色になるのです。

ホワイトゴールドも青金も赤金も貴金属として扱われますが、青金、赤金は日本画の顔料としても使われるので、これらの金を見たかったら宝石店に行くより、日本画の材料屋さんに行った方が確実に見ることができるでしょう。

合金の品位

金、銀、プラチナという場合、本来は混じりもののないそれぞれの金属の純粋品をいいます。ところが、いろいろの事情によって、不純物が混じったり、あるいは人為的に不純物を混ぜたりすることがあります。このような場合、問題になるのは、その不純貴金属の中に入っている純粋貴金属の割合です。これをその不純貴金属の「品位」といいます。純粋貴金属の割合が多いほど高品位ということになります。

お手元に金製品があったら、その裏側、つまり、見えにくい所を見てください。「K24」あるいは「18K」という刻印があるはずです。刻印がなかったら、金メッキかニセモノの可能性があります。

このKはカラットといいます。宝石の重さを表す記号Ctの読み方のカラットと同じです。Kカラットは金の品位、つまり割合を表す記号なのです。数字は、純金を24Kとします。もし18Kとあったら、18/24=0・75、つまり、75%だけが金であり、残りの25%は銀やニッケルなどの、他の金属ということを表しています。14Kだったら金の含有量は58%にすぎません。

プラチナの場合には、Pt1000とかPt800とかの刻印があります。三桁の数字はプラチナの含有率をパーミリ(千分率)単位で表した数字です。つまりPt1000=100%、Pt800=80%ということです。古い製品にはただPtとだけ打った刻印もありますが、それはその当時のプラチナ製品の品位がすべて80%であったことによるものです。ですから、ただPtとあったらPt800と同じ意味です。酷い商売をする人はPt80を80％と偽って売りつける場合があるそうです。注意してください。

銀の表示法もプラチナと同様です。SV1000＝100％ということです。宝飾品や銀食器などの通常の銀製品にはスターリングシルバーという種類（合金）の銀が用いられていますが、その品位は一般に92・5％です。他にコインシルバーという品位表示もありますが、これは90％です。

貴金属に不純物を混ぜる理由

貴金属に不純物を混ぜる理由は2つあります。1つは貴金属製品の価格を下げることです。金は1g1200円以上もする高価な金属です。銀は1g150円くらいしかしません。金に銀を混ぜて、その色や輝きがあまり違わないのなら、合金にした方がお客さんに安く売ることができます。お客さんも喜ぶでしょう。

もう1つは、貴金属の硬さです。金は非常に柔らかい金属です。見苦しいのでやめてもらいたいのですが、いろいろの競技大会で金メダルを取った選手がメダルを噛んだ写真が出ています。これは、江戸時代、小判の真贋を見極めるために噛んだことの名残といいます。つまり、本物の（金の）小判は噛むと歯形が残りました。それだけ金は柔らかいのです。

しかし現代の金メダルは、オリンピックの金メダルですら、銀に金メッキしたものです。無理に噛んだらメッキが剥がれてしまうかもしれません。つまり、純金24Ｋのネックレスを作ったら、最初はキラキラ輝いていても、使い込むうちに洋服に擦れて傷だらけになり、輝きが失せてしまいます。そのために、合金にして硬度を増しているのです。

かつて、万年筆のペン先は14Ｋが大半でした。これは、これ以上金を増やすとペン先の減りが速く、一方、金を減らすと滑らかさが失われるというギリギリの選択だったのです。しかし、現代では純金を放射線処理することによって表面硬度を上げることができるそうですので、そのような処理をしたものならば問題ないでしょう。

美しい卑金属と美しくない貴金属

貴金属の条件の1つは美しいということでした。しかし、ただ美しいということなら、非金属の中にも、貴金属に負けないくらい美しいものがあります。反対に、貴金属なのに美しくないものもあります。人間だって生まれと美醜は関係しません。何事も同じです。

美しい卑金属

貴金属の代表ともいうべき金は、言うまでもなく金色に輝く美しい金属です。黄色と金色の区別は難しいですが、輝く黄色が金色と考えてよいでしょう。

金色に輝く金属は他にもたくさんあります。銅Cuとスズ Snの合金であるブロンズは、普通は奈良の大仏のようにチョコレート色ですが、錆びると鎌倉の大仏のように青くなることから日本では青銅と呼びます。しかし、金属の配合割合によっては白色や金色になります。

ドアノブには金色に輝くものがありますが、多くの場合、銅と亜鉛Znの合金で真鍮（しんちゅう）（黄銅、ブラス）と呼ばれます。ブラスバンドの楽器が金色なのは楽器がブラスでできているからです。最近はアルミニウムAlやステンレス（鉄Fe、クロムCr、ニッケルNiの合金）の表面を特殊加工して、本物の金より金色に輝かせたものも出ています。あまりにキラキラしてかえって安っぽく見えることもあります。それではこれら、金以外の金色金属は貴金属と呼ばれることはないのでしょうか？

残念ながらありません。貴金属という限り、

●ブラスバンドの楽器

ある割合以上の貴金属、つまり金、銀、プラチナを含んでいなければなりません。

金属の多くは輝く白色ともいうべき銀色です。鉄だってスズだって磨けば銀やプラチナと同様に美しく輝きます。しかし貴金属ではありません。それは先に紹介した貴金属の条件「❷希少である」と「❸変化しない」を満たさないからです。つまり、ありふれた金属であり、放っておけばやがて錆びて変化し、輝きを失ってしまうからです。

卑金属のように見える貴金属

貴金属の条件に美しいことが挙げられますが、すべての貴金属は美しいのでしょうか？　白く輝く銀製品を長期間空気中に放置すると、表面が黒くなってしまいます。温泉街などに持って行ったら数時間で黒くなりかねません。温泉に漬けたらイチコロです。これは空気中、特に温泉街の空気中に高濃度で漂う硫化水素H_2Sなどと銀が反応して、硫化銀Ag_2Sとなって黒くなったのです。しかし、最近の銀製品は表面をロジウムRdなどでメッキしたり、プラスチックでコーティングしてありますので、黒くなりにくくなっています。

メッキ

メッキは適当な物体に金属の薄い皮膜を付ける技術です。安価な金属に貴金属の被膜をメッキすれば、安価な金属も貴金属のように見え、また、例えメッキされた貴金属でも貴金属の性質は持っており、錆びや腐食に強くなります。そのため、現代では多くの金属製品にメッキが施されています。

現代のメッキ

現代のメッキは例外を除けばすべて電気メッキといえるでしょう。例えば青銅製の仏像に金メッキするとします。この場合、仏像を陰極につなぎ、金塊を陽極につなぎます。両方を青酸カリ水溶液などの電解液に入れて通電すると、金は陽極に電子を渡して金イオンAu^+となって電解液に溶け出します。Au^+は電解質中を陰極に引かれて移動し、仏像に触れると陰極から電子をもらって金の金属Auとなって仏像に付着します。これで金メッキが完成です。この時間を長時間保てば厚くて丈夫なメッキ被膜ができるということです。

金メッキの場合には電解液として、金を溶かす性質のある青酸カリ（シアン化カリウム）KCNや青酸ソーダ（シアン化ナトリウム）NaCNの水溶液を用いるとメッキがスムーズに進行します。

メッキは安価な金属に高価な金属をメッキするだけではありません。高価な金属製品を保護するためのメッキもあります。銀製品は空気中の硫黄分で黒化します。そこでそれを防ぐためにロジウムメッキをすることがあります。現代の私たちが銀の色だと思って見ている色は、実はロジウムの色かもしれません。

古代の金メッキ

奈良の大仏は天平の昔、752年に建造されました。その後何回かの戦火にあい、頭部は落ち、全身はブロンズの地肌が出てチョコレート色ですが、創建当時は金色に輝いていたといいます。全身金メッキされていたのです。天平の昔に電気のあるはずがありません。どのようにしてメッキしたのでしょう？

メッキは電気がなくてもできます。鉄板に亜鉛Znをメッキしたものをトタンといいますが、これを作る1つの方法は融点の低い（420℃）亜鉛を適当な容器に入れて融かします。その中に鉄板を入れて引き揚げると表面に薄く亜鉛がついてきます。この方法は現場ではドブヅケあるいはテンプラメッキといわれるそうですが、巧みな命名です。

天平時代のメッキはもっと化学的です。つまり、金アマルガムを用いるのです。金を水銀に入れると溶けてドロドロの泥状の金アマルガムとなります。これを大仏の全身に塗ります。その後、大仏の中に入って内部から炭火を当てて銅を加熱します。すると沸点の低い（357℃）水銀は揮発してなくなってしまいます。後に残った金をヘラか何かで擦って平らに磨けば完成です。

当時の記録によれば、このメッキには金9t、水銀50tが用いられたといいます。9tの金は現在の価格では900億円です。東洋の島国だった日本にとっては大変な額だったことでしょう。

金細工

貴金属は高価です。高価な金属を有効に使うには、少量の貴金属に高度な技量の装飾技術を施して、より優れた美しい工芸品に仕上げることです。そのため、貴金属を用いた細工は細微を極め、緻密な細工が完成していきました。

鋳造（ちゅうぞう）

金は美しくて貴重で高価なことから、多くの置物、宝飾品あるいは工芸品、金貨として加工されます。それらの中には、金だけで独立した作品になっているものもあれば、他の素材と一体となって1個の完成した作品となっているものもあります。

金だけで製品を作る場合に基礎となる技術は、融けた金を鋳型に入れて成型する鋳造です。鋳造には鋳型の種類によって砂型、金型、蝋型（ろうがた）などがあります。

① 砂型鋳造

鋳型(いがた)を砂と粘土の混合物で作る方法です。安価な方法ですが、鋳型は基本的に1回しか使えないので、大量生産には不向きです。

作り方は次の通りです。まず、砂と粘土の混合物で鋳型の外型を作ります。この型は製品と凸凹が逆になっています。できた外型の内部に内型を組み込みます。この外型と内型の間の隙間が製品の厚さになります。

できあがった型の隙間に融かした金を流し込み、金が固まった段階で鋳型を壊して製品を取り出します。

② 蝋型鋳造

精密な製品ができるので工芸品の作製に用いられます。まず石膏で大まかな大きさと形の内型を作ります。それに適当な厚さの蜜蝋(みつろう)を塗ります。この蜜蝋の層を彫って作品の原型を作ります。この蝋の原型がそっくりそのまま製品の形になります。

原形ができたらその上に水で溶いた石膏を塗って固めます。固まったら石膏作品を加熱します。すると蜜蝋は融けて石膏に吸収され、蜜蝋の厚さの隙間ができます。この隙間に溶融した金を流し込めばできあがりです。蝋型鋳造は製品の肌が美しくなるので、高級工芸品に用いられる技法です。

鍛造

金の板を叩いて形作る方法です。大量生産はできませんが、一品生産を丁寧に作るには向いている方法です。鉄のような固い金属には応用できませんが、銅程度の硬さなら充分に対応できます。金属が固い場合には加熱した後に冷やすことで、焼きなまして軟らかくしてから叩きます。古代の製品の多くはこの方法で作られたものです。

象嵌

金属の表面にタガネで溝や窪みで絵や文字を彫り、そこに金を置いて槌で叩きます。すると金は柔らかいので溝や窪みに埋め込まれて模様の形に広がり、固定されます。

特殊な象嵌法として布目象嵌という方法があります。これは鉄などの表面に刃先が薄くて鋭いタガネで、縦横に布目状に浅い溝を刻みます。そこに花や昆虫など、望む形に裁断した金の薄板を置き、薄板が変形しない程度に槌で叩きます。金は柔らかいので、薄板の下面が布目の溝に埋め込まれて固定されます。

この象嵌法は、日本では熊本で発達したので肥後象嵌ともいわれ、刀剣の拵え（こしら）の装飾によく用いられました。

●象嵌

SECTION 46

金漆工芸

日本では漆(うるし)という樹木の樹脂を木材の表面に塗って固める漆塗りが発達しました。この漆塗りと金工芸が一体となって独特の加飾技術が発達しました。金属工芸と木工芸のコラボレーションです。

金箔

和紙を柿渋や卵白を溶かした特殊な水に数カ月間漬けると箔紙(はくし)という特殊な紙ができます。金の小さな粒をこの紙2枚に挟みます。このセットを数百セット重ねてハンマーで叩き続けると、金の粒は広がって箔紙の間に金箔となって広がります。金箔の厚さは0・1μ以下であり、1gの金は面積5平方メートルになるといいます。透かすと外界が青緑に見えます。この金箔を使った工芸が金沢で発達した金箔工芸です。

箔紙は繰返し使用することができ、最期は舞妓さんの油取り紙に使われたといいます。
しかし、金箔を作るのに優れていたのは動物のなめし皮といいます。それもタヌキの○○袋の皮といいます。これでなめすと1匁(3.75g)の金が八畳敷(13平方メートル)の美しい金箔になるといいます。

板の表面に漆を塗り、その漆が乾かないうちに金箔を貼って固定します。金閣寺や秀吉の金の茶室は壁も柱も天井も、すべてこの技法で加飾されました。金箔は薄いので、板面だけでなく、彫刻の表面にも同じようにして貼ることができます。つまり、彫刻の表面に漆を塗り、金箔を置きます。脱脂綿などで押し付けると金箔は彫刻に密着して接着されます。余分の金は脱脂綿で除きます。金箔貼りは金の輝きがそのまま出るので、きらびやかな風合いがあります。

マルコポーロは日本を黄金の国だといっていますが、金箔貼りの木材を金無垢と勘違いしたのかもしれません。

沃懸地金粉塗り

金の粉を塗ったものです。金粉は、先に見た金箔を乳鉢などに入れて乳棒ですり潰して作ります。この際、日本の伝統工芸では、金粉が飛び散らないように乳鉢に水飴を入れて擦ったといいます。後で水洗いして水飴を除きます。

お椀などの木製品に漆を塗り、そこに一面に金粉を塗り、その上からさらに透明漆を塗ります。乾いたら木炭の粉などで表面を磨いて完成です。金無垢製と見まごうばかりになります。このような仕事をしていると家の隅々に金の粉がたまります。これを大みそかの夕方、そば粉を水で練ったものを家じゅうに撒いて掃き集めます。そこには金粉が混じっているので、縁起物として食べたのが年越しそばのいわれであるという話もあります。

金とガラス

着色ガラスには2種類あります。1つはステンドグラスの人物の顔や衣服のひだなどの陰影のある部分です。あのような部分はガラスにエナメルなどの顔料で絵を描き、それを加熱して焼き付けたものです。それに対して、顔料による着色以外の方法による着色ガラスがあります。典型的なのは透明な色ガラス、つまりガラス自身が色を持っている特殊ガラスです。このようなガラスは、ガラスに溶けた金属の影響によって発色したものです。実際に金を用いてこのような色ガラスを作る場合には、金を王水に溶かして使います。このようにして作った金赤グラスはロゼ・ワインのような少しだけ青みを帯びたピンクになります。

金と焼き物

一般に陶磁器(焼き物)といわれる

●金属の溶けた着色ガラスの種類

色	着色剤
紫	マンガン+銅、コバルト
青	コバルト、銅
緑	クロム、鉄、銅(緑系統の色はクロムが一般的)
緑(蛍光)	ウラニウム
黄	銀、ニッケル、クロム、カドミウム
茶	鉄+硫黄(還元剤として炭素を一緒に使う)
黄赤	セレン+カドミウム
赤	金、銅、コバルト、セレン+カドミウム
赤紫	ネオジム、マンガン
黒	濃い色を出すいろいろな着色剤を混ぜ合わせる(マンガン、クロム、ニッケル、コバルト、鉄、銅)
乳白	フッ化カルシウム、フッ化ソーダ、リン酸カルシウム

ものには焼成温度の低い陶器と、高い磁器があります。磁器に金を付けるための顔料には3種類あります、金液、金粉、金箔です。

①金液(水金)

文字通り液体の金です。金を王水に溶かして作った塩化金酸と樹脂を反応させて金レジネートを作り、これに付着剤(ビスマスBi)や表面剤(ロジウムRh)などの有機金属化合物を加えて作ります。

②金粉

文字通り金の粉状のものです。

③金箔

一般的な金箔は厚みが0・1μ程度ですが、絵付けなどに使用する場合には薄すぎては燃えてしまうので、厚箔(0・4μ以上)を用います。

索引

は行

ま行

た行

な行

■著者紹介

さいとう　かつひろ
齋藤　勝裕

名古屋工業大学名誉教授、愛知学院大学客員教授。大学に入学以来50年、化学一筋できた超まじめ人間。専門は有機化学から物理化学にわたり、研究テーマは「有機不安定中間体」、「環状付加反応」、「有機光化学」、「有機金属化合物」、「有機電気化学」、「超分子化学」、「有機超伝導体」、「有機半導体」、「有機EL」、「有機色素増感太陽電池」と、気は多い。量子化学から生命化学まで、化学の全領域にわたる。著書に、「改訂新版 SUPERサイエンス 爆発の仕組みを化学する」「SUPERサイエンス 五感を騙す錯覚の科学」「SUPERサイエンス 糞尿をめぐるエネルギー革命」「SUPERサイエンス 縄文時代驚異の科学」「SUPERサイエンス 「電気」という物理現象の不思議な科学」「SUPERサイエンス 「腐る」というすごい科学」「SUPERサイエンス 人類が生み出した「単位」という不思議な世界」「SUPERサイエンス 「水」という物質の不思議な科学」「SUPERサイエンス 大失敗から生まれたすごい科学」「SUPERサイエンス 知られざる温泉の秘密」「SUPERサイエンス 量子化学の世界」「SUPERサイエンス 日本刀の驚くべき技術」「SUPERサイエンス ニセ科学の栄光と挫折」「SUPERサイエンス セラミックス驚異の世界」「SUPERサイエンス 鮮度を保つ漁業の科学」「SUPERサイエンス 人類を脅かす新型コロナウイルス」「SUPERサイエンス 身近に潜む食卓の危険物」「SUPERサイエンス 人類を救う農業の科学」「SUPERサイエンス 貴金属の知られざる科学」「SUPERサイエンス 知られざる金属の不思議」「SUPERサイエンス レアメタル・レアアースの驚くべき能力」「SUPERサイエンス 世界を変える電池の科学」「SUPERサイエンス 意外と知らないお酒の科学」「SUPERサイエンス プラスチック知られざる世界」「SUPERサイエンス 人類が手に入れた地球のエネルギー」「SUPERサイエンス 分子集合体の科学」「SUPERサイエンス 分子マシン驚異の世界」「SUPERサイエンス 火災と消防の科学」「SUPERサイエンス 戦争と平和のテクノロジー」「SUPERサイエンス 「毒」と「薬」の不思議な関係」「SUPERサイエンス 身近に潜む危ない化学反応」「SUPERサイエンス 脳を惑わす薬物とくすり」「サイエンスミステリー 亜澄錬太郎の事件簿1　創られたデータ」「サイエンスミステリー 亜澄錬太郎の事件簿2　殺意の卒業旅行」「サイエンスミステリー 亜澄錬太郎の事件簿3　忘れ得ぬ想い」「サイエンスミステリー 亜澄錬太郎の事件簿4　美貌の行方」「サイエンスミステリー 亜澄錬太郎の事件簿5［新潟編］　撤退の代償」「サイエンスミステリー 亜澄錬太郎の事件簿6［東海編］　捏造の連鎖」「サイエンスミステリー 亜澄錬太郎の事件簿7［東北編］呪縛の俳句」「サイエンスミステリー 亜澄錬太郎の事件簿8［九州編］ 偽りの才媛」（C&R研究所）がある。

編集担当：西方洋一 ／ カバーデザイン：秋田勘助（オフィス・エドモント）
写真：©Claudia Nass - stock.foto

SUPERサイエンス 本物を超えるニセモノの科学

2024年5月24日　初版発行

著　者　齋藤勝裕
発行者　池田武人
発行所　株式会社　シーアンドアール研究所
新潟県新潟市北区西名目所4083-6（〒950-3122）
電話　025-259-4293　FAX　025-258-2801

ISBN978-4-86354-449-9 C0043